倫理的理論與實踐

潘小慧 著

文史哲學集成
文史哲出版社印行

國家圖書館出版品預行編目資料

倫理的理論與實踐 / 潘小慧著. --初版. -- 臺
北市：文史哲，民 94
　　面：　公分.（文史哲學集成；495）
　　含參考書目
　　ISBN 957-549-584-5 (平裝)

1.倫理學

190　　　　　　　　　　　　　　93025012

文史哲學集成 ₄₉₅

倫理的理論與實踐

著　　者：潘　　　　小　　　　慧
出版者：文　史　哲　出　版　社
http://www.lapen.com.tw
登記證字號：行政院新聞局版臺業字五三三七號
發行人：彭　　　　正　　　　雄
發行所：文　史　哲　出　版　社
印刷者：文　史　哲　出　版　社
臺北市羅斯福路一段七十二巷四號
郵政劃撥帳號：一六一八○一七五
電話886-2-23511028 · 傳真886-2-23965656
實價新臺幣三六○元
中華民國九十四年（2005）元月初版

本書獻給

愛我以及我愛的家人

老爸　潘保金 先生

老媽　魏春妹 女士

煌傑、品雅、品仁、品升

自　序

　　十多年來，在學術研究與教學上始終不離「倫理學」的領域。

　　在教學方面，從 1990 年開始在輔仁大學哲學系教授大三的必修「倫理學」課程至今；1990-2003 年教授選修的「儒家哲學」課程，其中尤重儒家倫理學的探討；2001（9月）─2004（1月）於輔仁大學全人教育中心人文與藝術課群中開設每個學期 2 學分之「兒童思考與倫理教育」課程，2003 年在哲學系倫理哲學學群底下開設「兒童哲學與倫理教育」選修課程，2004 年則將課程改為「兒童哲學：理論與實務」，其中仍以兒童哲學與倫理學、倫理教育為設計核心；2001 年教授選修的「多瑪斯倫理學」課程至今；2003-2004 年在碩博士班開設選修的「中西德行倫理學」課程；2004 年則在碩士班「討論會：士林哲學」課程中帶領研究生閱讀多瑪斯《神學大全》第二部的第二部分之英文譯本，探討多瑪斯倫理學中有關「德行」、「習慣」等課題。

　　在學術研究方面，除了主要致力於中西基礎倫理學的研究─尤其是中國儒家與西方多瑪斯德行倫理學的對比外，也關心應用倫理學及倫理教育的發展。這兩年來，則將重心置於兒童哲學與倫理學、倫理教育的結合，本書收錄的九篇文

章，主要集結從 1997 年到 2004 年近七年多來關於倫理學、倫理教育等課題的反省與研究，每一篇都是筆者當時的用力之作，現在讀來，也都還有新鮮之感。此正顯示哲學真理之永恆深意！筆者建議，本書的每一篇章可以獨立閱讀，也可以按順序閱讀，既可以作爲基礎哲學倫理學的補充教材（如第一、二、三章），也適於應用倫理學及倫理教育的補充教材（第四、五、六、七、八、九章）。由於全書基本上關涉倫理，可以說兼含倫理的理論與實踐，故直接題名爲《倫理的理論與實踐》。

　　哲學人最忌諱的毛病是傲慢與獨斷，筆者也時時以此自我提醒。讀者如對本書的論述有任何意見與建議，歡迎不吝賜教！

　　愈是學術性的著作，遠離市場價值愈遠。因此，本書的出版，必須感謝文史哲出版社發行人彭正雄先生的慷慨支持。彭先生必須冒著不易回收的風險，我也願努力推廣以還報他的知遇之恩。

　　　　　　　　　潘小慧　謹識於輔仁大學哲學系
　　　　　　　　　　　　　2004 年 12 月 5 日

倫理的理論與實踐

目　錄

第一章　從自由意志論自由[*]

- 引　言
- 自由之意義及根源
- 「自由意志」及「自由」觀念之歷史發展
- 「自由意志」與「自由」
- 結　論：自由的真諦

---

[*] 本章主要內容原載於《哲學論集》第 30 期（1997 年 6 月），頁 111-125。

第一節　引　言

　　前幾年，有句廣告詞很出名，常被引用：「只要我喜歡，有什麼不可以」；又幾年前，有位實力派的女歌手蘇芮的一首唱片主打歌很紅，曲名叫做「跟著感覺走」。猶記得九三年接待上海來的張綏教授，陪同他訪問南港中央研究院，我們二人坐在計程車內，收音機正好播放這首歌。張教授立刻提及這首歌紅到了大陸，並且還表達了對這首歌名的不以為然，我們也對此討論了一番。難道「跟著感覺走」就是闡揚「自由」嗎？難道「只要我喜歡」就是凡事合理化或合法化的無上依據嗎？難道凡事非得順從或尊重每個人的感覺或喜好，才稱得上是具有民主精神嗎？如果你的感覺和我的感覺有了衝突，那怎麼辦呢？如果你喜歡的和團體喜歡的有了矛盾，又如何解決取捨呢？會不會正如羅蘭夫人（Madam Roland,1754~1793）上斷頭台時的名言「自由。自由！多少罪惡假汝之名以行之」般，世人多犯了假藉自由之名卻行個己之私或行惡之謬誤呢？

　　孔子在自述其生命歷程時，說道：「七十而從心所欲，不踰矩」。[1]「從心所欲」就好比是「跟著感覺走」，是「我喜歡的」，這為一般人而言一點也不困難，因為這相合於人的本性的自然傾向；這裡要緊的是「不踰矩」。凡我心所欲者皆能不逾越客觀禮法的規範，這是何等的修為！何等崇高的

---

[1] 參見《論語・為政 2.4》。

人格涵養！仁聖如孔子，也是到了生命的最後階段才達致如此之境界。

本章即在當代對自由課題詮釋之紛亂背景之趨迫下，欲從自由之根源處——即從哲學的角度——重新闡明自由之真諦。以下分成四方面論述：首先，概括指出自由之意義有「消極自由」及「積極自由」二種，並指出自由的根源在於人的「意志」，此即肯定「自由意志」；其次，從「自由意志」觀念的歷史發展也同時看到了「自由」觀念的歷史發展，二者是密切相關的；再者，從「自由意志」之意涵分析理解「自由」；最後，結論出自由的真諦在於「不作惡且行善之自由」是一有效力的自由，是符合人性、滿全人性的。

第二節　自由之意義及根源

「自由」一概念可以區分為兩種意義，一是「消極自由」（negative freedom 或 freedom from），一是「積極自由」（positive freedom 或 freedom for）。自由首先指涉「免於拘束或強迫」（absence of constraint or coercion）此種特性。說一個人是自由的，指他能選擇他自己的目標或行為的進路，能在可能的選項當中做選擇，且不需要勉強去做他不想做的事或阻撓他去做他想做的事；他不必按照他人的意志、或按照城邦國家、或按照任何權威的意志行動。自由就此義而言，是不被他者強迫或強制，有時稱為「消極自由」。但當人們談論自由時，並不只是涉及此層含意，還包含具有何種

自由，即他們要求某種自由（freedom for），這就是自由的積極面向，亦即自由的另層意義。在政治及社會的討論當中，對自由的要求通常會指向一特別的自由，也就是會在某個旨趣或活動的形式之運作當中。

於是，自由就抽象而言，可包括許多種類，如思想及言論自由、集會自由、結社自由、信仰自由、遷徙自由、財產的使用與處置自由、職業選擇的自由等等。

我們可進一步詢問：自由的根源何在？這是基督徒哲學／天主教哲學關心的。基督徒強烈的道德責任感使他們注意到，那位行動上要不要的主體，正是自己行動的真正原因，因為正由於此，主體才須對自己的行動負責。這種道德上的見解，引導天主教哲學家把自由的根源置於在意志之內，除非連同意志一起毀滅，否則無從奪之。於是，「自由」反對「必然」，「自由」反對「強迫」；自由意志即是「免於必然」或「免於強迫」。

第三節　「自由意志」及「自由」觀念之歷史發展

「自由」這條律則本身雖是天主在啟示時所頒布，卻與人類的存在同其長久。「自由意志」及「自由」觀念的哲學基礎首見於希臘思想家，然後由教父及中世紀時期的神哲學思想家，在基督宗教的信仰背景影響下，有系統地發展；接著在後期士林哲學產生了論爭，主因由於新教改革；最後，當代思潮對此課題則有多元性的觀點。以下即分成希臘時

期、教父及中世時期、後期士林哲學及新教時期與近當代思
潮四個部份來敘述。[2]

一、希臘時期

早期希臘一般相信無論生物、人類及諸神等均從屬於命
運。因此，許多思想家並不企圖改變事物的秩序，而是追求
宇宙其他事物之和諧。另者，在古代，「自由」比較是一政
治上的觀點，而非是一個形上意義的觀念。所謂「自由人」
乃是參與政治秩序之人（不像奴隸），是不受在他之上的人
所管理。即使如此，有些哲學家仍隱含有人的自由選擇的說
法。

（一）先蘇時期：

畢達哥拉斯（Pythagoras, Ca. 570~ 469 B. C.）的追隨者
似乎同時主張自由與決定論。在他們的輪迴說
（metempsychosis）中，他們論證一個人其新生命的狀態乃
依賴於他在前世的作為。他們也同時主張，所有在宇宙中的
事物均與一未知的、但或許是可發現的數目關係的系列相互
連繫著，而這將能控制人類事物。辯士派則以為，不論人是
否在其作為上深思熟慮，他都能改變人類事物的過程；也就

---

2 關於「自由意志」及「自由」觀念之歷史發展，主要參考 *New
Catholic Encyclopedia*, Vol. III, Washington D. C., 1967. 及 *The
Encyclopedia of Philosophy*, edited by Paul Edwards, New York,
The Macmilla Co, & The Free Press, 1967. 其中哲學家之譯名及
年代則採用哲學大辭書編審委員會編著，《哲學字典》（台北：輔
仁大學出版社，1990 年 1 月初版）。

是說，辯士派承認在人當中有某種程度的自由選擇，即使結果從屬於命運。伊利亞學派（Elea School）由於其泛神論的一元論之故，必然反對人的自由。德謨克利圖斯（Demokritos, 460~370/371 B. C.）及希臘原子論者，一般而言，同樣地堅守他們作為一嚴格的機械主義的立場，反對在宇宙中有所謂任何種類的偶然性或適然性。

（二）雅典時期：

由於蘇格拉底（Sokrates），人的自由之希臘觀念斷然從一政治概念轉變為個別主體的自由之心理學觀念。蘇格拉底是首批強調這個對內在自我控制的需要的希臘哲學家之一。外在權威在蘇氏的攻擊之下已瓦解，於是他所教導的新的律法並非奠基於外在權威，而是在於每個人自己所擁有的控制力。為蘇氏而言，無人故意地去作惡，且因為人的未來仰賴人的認知，因此人們必定具有某種程度的自由。柏拉圖（Plato, 427~347 B. C.）的轉世的神話意含道德責任。亞里斯多德（Aristotele, 384~322 B. C.）則並不明顯地討論自由或自由意志，雖然這兩個概念都見於他的著作當中。亞氏並不同意柏拉圖及蘇格拉底關於一個邪惡的人必然對真善無所認知的說法；他以為經驗正好相反，一個認知到真正善的人仍能選擇惡。

（三）希臘化羅馬時期：

如同伊利亞學派，斯多亞學派（The Stoics）否認選擇自由作為他們唯物泛神論的一個結果，而主張在宇宙中的所有

變化都由於冷酷無情的律法；一個人唯有當他有意地接受這些律法時，才能稱爲自由的。Philo Judaeus 主張人的自由植根於他的理智（intelligence）。柏羅丁（Plotinos, 203~ 269）認爲人的靈魂是自由的，只要它不要涉入物質的世界中。

二、教父及中世時期

基督宗教的兩個教訓影響了自由意志的發展。一個是：人被上帝所創造的且被命令去遵守神的道德律，同時，人被允諾一種永恆的賞或罰。而賞或罰意味人有自由選擇，否則這樣的制裁是無意義的。另一個則是：第一個人招致原罪，需要恩寵的救贖。教父及中世時期的思想家建立了自由的根基，及其與理智的關係，及其神學之意含。如 *St. Ephrem the Syrian*，認爲人有自由，此自由植根於其理智及意志之中；且因此，人堪稱爲上帝肖像（Image of God）。其他教父學者亦捍衛自由意志，抵抗異教徒所主張的命運統治世界的教訓。

（一）奧斯定及安瑟倫：

在早期教會，奧斯定（Augustinus, 354~ 430）是關於人的自由之天主教教訓的偉大的解釋者。他主要關心的是協調人在偶然行爲的自由與上帝必然具有的先知。奧斯定堅持恩寵的必要性作爲價值的基礎；他也宣稱一個全知且全能的上帝從永恆性必然知道每個人可能會同意的意志的無限動機。奧斯定還爲文說明，意志自由或自由對反於奴隸—無論

是罪惡的奴隸或者是死亡的奴隸。安瑟倫（Anselmus, 1033~
1109）對自由的討論，則區分「選擇善惡的能力」（意志）及
「選擇為人的本性真正善的能力」（自由）。為安瑟倫，自由
選擇並非一種在善與惡之間做選擇的能力，而是一種主張意
志的正直的能力。

（二）多瑪斯哲學：

　　多瑪斯（Thomas Aquinas, 1224/5~ 1274）論述，人對於
有限善是自由的，但對於無限善則是被決定的。也就是說，
人遭遇一個有限對象，能接受或排拒它；他能如此是因為此
對象能呈現善（因為它具有現實）或缺乏善（因為它缺乏一
另個對象所具有的現實）。多瑪斯主張，一個人如果直接遭
遇一個無限善，那他就不會是自由的。但因為人，在此生此
世，並不直接面對一無限善，因此他不會為此世的對象所逼
迫。為使人選擇的偶然性與上帝的先知和諧一致，多瑪斯強
調人是在時間當中，而上帝是在時間之外，過去、現在與未
來是同時存在於上帝的心靈。因此，當先知（foreknowledge）
對人有意義時，在上帝中卻沒有若合符節。

三、後期士林哲學及新教時期

（一）道明會及莫里那（Molinist）主義：

　　道明會神學家絕大部份教導：上帝預先推動每個人朝向
他自由地選擇的目標，因為每個受造物的行為需要上帝先推

動受造物。這個預先運動與被預先推動的受造物的本性相符。因此，一個無限力量的上帝，萬無一失地預先推動人——一個自由的主體，去自由地選擇一個個別目標。上帝的預先運動不可避免地是由於祂的全知，它可能被稱為天命（注定），就此意義，乃邏輯地先於受造物的活動之神的知識。莫里那主義的立場不同於道明會主要在兩方面：第一是取代關於神的預先運動，莫里那主義認為比較精確的說法是一種與人的意志一致的神性；第二點，莫里那主義主張，一個自由的存有會選擇什麼之上帝的知識，如果必要條件補足的話，會邏輯地先於預先運動的上帝的天命。

多瑪斯自己曾特別註記，解決上帝預先運動的問題及人的自由選擇問題之難題，部份基於當談及上帝時，需要使用較適當的術語，因為語詞只能類比地表述上帝。在這個問題上，語詞如「預先運動」（premotion）或「先知」（foreknowledge）應用於上帝時，就好比祂存在時間之中，而事實上祂是一外於時間（outside of time）而存在之無限存有。

（二）新教改革：

在新教改革的論爭中，自由意志的主張在新教與天主教神學家之間存有極重要的差異。馬丁路德（Martin Luther）和加爾文（John Calvin）強烈反對自由意志，他們的論證主要針對聖經文本。路德結論道：人的命運是預先注定的，人不可能真有力量去抵抗他自己的命運。路德並未否定人所有的自由，但他相信人在原罪之後所具有的自由，不足以允許

他達成他自身的救贖。加爾文對自由意志的否定比路德來得
更甚。他宣稱人除非由於上帝的恩寵，否則不能做一個善
行，且人不可能對抗這種恩寵。

四、近當代思潮

（一）決定論者：

霍布斯（Thomas Hobbes, 1588~1679）主張自由主體（free
subject）的觀念如同圓的四方形的觀念般，是自相矛盾的。
為霍布斯，慎思（deliberation）只不過是意欲（desires）和
厭惡（aversions）的延續罷了，每個遭遇相互平衡，直到達
致最後一個狀態。這個最後狀態，霍布斯稱為「意志行為」
（the will act）。因為每個意欲和厭惡已被導致形成，因此「意
志行為」不是自由的。然而，他主張人的確有行動（或行為）
的自由，因為一旦他意志它，他就能行動。

斯比諾撒（B. Spinoza,1632~1677）結論：只有上帝是一
個自由因，且所有人性行為均屬於嚴格的決定論。J.O. de La
Mettrie 基於他的唯物論，也反對意志自由。叔本華（Arthur
Schopenhauer,1788~1860）主張：一個人知道他的意志的連續
行為是在它們已發生之後，但他無法預見他的未來行為。人
們只為他自己是自由的；如果真的如此，那他就能預見他未
來的行為。J. F. Herbart 否定自由意志，這導因於他的最初假
定，即心理學的方法和預設等同於物理學的方法和預設。

（二）笛卡兒、休謨及謝林：

　　以上所提及的思想家均無疑地可被標誌為決定論者，其他則無法如此整齊劃一地被規劃，因為他們的著作當中同時包含決定論及自由兩種要素。如笛卡兒（Rene Descartes, 1596~1650），在 Jensenism 及 Molinism 之間擺盪。休謨（David Hume, 1711~1776）則主張：從一個立足點看，人的行為是自由的；然而從另一個立足點看，它們又不是自由的。他宣稱人的選擇如同任何物質主體般被需求。選擇的行為被當時進行的情感或動機嚴格地決定，也被品格決定。然而，因為人自己做選擇，就這方面而言，他或許可被稱為自由的。謝林（Fridrich Schelling, 1775~1854）主張，人的行為同時是「屬性的」（predicable）及「自由的」（free）。人自己做選擇，但他的選擇是被他的性格所決定，或者，是先前選擇的結果。自由，為謝林而言，基本上是善與惡之間選擇的能力。

（三）贊同自由意志者：

　　各種各樣的立場也見於主張自由意志者之中，有些還保有某些決定論的因素。如 N. Malebranche，他看到如果他在因果律的立場上走得夠遠，就會否定人對任何行為的負責性。但他不願走到如此極端，他聲稱：除非人是自由的，否則宗教及道德是無意義的。萊布尼茲（G. W. Leibniz, 1646~1716）主張選擇自由，雖然他的學說似乎終結於一種緩和形式的決定論。他主張當自由行為必須被理智所推動時，理智必須判斷什麼是最好的。

　　有些思想家接受意志自由作為一既定事實，但是拒絕在一嚴格的論證中作任何的嘗試。如巴斯噶（Blaise Pascal,

1623~1662），他說自由可能只能藉著一種宗教經驗被知道。康德（Immanuel Kant,1724~1804）主張自由意志可能被科學地論證，但它在定言命題中是隱含的。同樣地，當代存在主義者傾向於接受自由選擇爲其哲學立場的一個基礎。如雅士培（Karl Jaspers,1883~1969）主張每個人是一超越他（已經）所是的獨持存有，且在行使其自由的過程中形塑其存有的新的型態。海德格（Martin Heidegger,1889~1976）說，在某些限制之內，人能自由地選擇他的可能性，能爲他的命運負責，尤其是他向死亡的命運。沙特（Jean Paul Sartre,1905~1980）堅稱自由是人獨有的特性。馬塞爾（Gabriel Marcel, 1889~1973）及慕尼爾（Emmanuel Mounier,1905~1950）主張，人唯有在其許諾（約定）的行爲中瞭解到他自己是作爲一個人。

第四節 「自由意志」與「自由」

一

通常 free will 被視爲拉丁文 *liberum arbitrium* 之翻譯，有時也稱爲 free choice 或 free decision，甚至後二者的翻譯更爲準確。理由之一是：free will 經常被解釋爲「每個意願的行爲按其定義即爲一經由慎思熟慮而發的自由行爲」，然而事實並非如此。其間的關鍵在於我們必須分辨「意願性」（voluntarity）與「慎思熟慮」（deliberation）二詞與「自由」

（free）之差異。

　　所謂「意願的」（voluntary）意味「一個行為曾（was）在此時或彼時其意志是自由地」，它並非意指一個行為「現在此時」（here and now）是一個自由的行為。如一些已經根深蒂固成為習慣的行為，或許曾是被意願的，或者它們曾是來自意志原則而被意願的，因此可被稱為「意願的」。但一旦被建立發展成習慣（habit），就不應再稱之為「自由的」（free）。另如一些來自於先前選擇的行為，也可稱為「意願的」，但嚴格說來不能稱為「自由的」。當我們說某些行為是意願的行為（voluntary acts），就是說它們是一些曾經被選擇而無須再度重新選擇的行為。如一個選擇去散步的人，並不需要在散步時，每踏一步又再作選擇。只要一個人選擇做他所做，他的行為就是真正意願的，雖然不見得是完全自由的。

　　另者，並非每個人的每個行為都是意願的，人的行為通常可分為兩種：一是「人性行為」（英：human acts；拉：*actus humanus*），一是「人的行為」（英：acts of man；拉：actus hominis）。「人性行為」乃一個人依循某種慎思熟慮（deliberation）而作的行為，是一種「出於理智的認識與意志同意的活動」[3] 或「由人的自由意志自動自覺發出的動作」，[4] 又稱為自由意志的行為。而「人的行為」則否，如心臟的跳動、血液的循環和手觸及高溫或冰冷之物馬上挪開的

---

3 參見王臣瑞著，《倫理學》（台北：學生書局，1988 年 10 月第四次印刷），頁 22。
4 參見高思謙著，《中外倫理哲學比較研究》（台北：中央文物供應社，1983），頁 88。

身體的反射動作⋯⋯等生理現象，以及肚子餓了想要吃東西、冷了想要多穿件衣服、難過時想哭⋯⋯等情緒或官能反應均屬之。這些現象或反應並非人所專有，其他動物也有相同或類似者，這些「現實」（acts）本不能稱為人性行為，故稱之為「人的行為」或「人的活動」。[5]

　　由以上的初步分辨，可避免「自由行為」（freedom acts）與「意願行為」（voluntary acts）或「非深思熟慮」行為（non-deliberate acts）的混淆。於是「自由意志」可以說是一種人特有的能力，當人面對一個有限的善時，他可以處於選擇或不選擇的意願活動之中的一種能力。

二、

　　意志本身具先天不固定性。就內在方面而言，意志不是先天就固定於某對象；就外在方面而言，沒有任何對象可以絕對的強迫意志。因為世上的一切物都是偶有的或有限的，沒有絕對吸引意志的能力。意志作為一「理性慾望」（rational appetite or intellectual appetite），其對象是追求「普遍的善」（universal good）；如果意志面對一個無限的善，那它就沒有拒絕的能力了。[6]意志自由在積極方面，是指意志的自主自決能力；它可以對任何事物說「要」或「不要」，說「是」或「不是」，它可以接受也可以拒絕；它是主人，一切操在

───────────────

5　參見拙著，《德行與倫理—多瑪斯的德行倫理學》（台北：哲學與文化月刊雜誌社，2003），頁 63- 64。
6　同註 3，頁 49。

它。荀子曾說：

> 心者，形之君也，而神明之主也，出令無所受令。自
> 禁也，自使也，自奪也，自取也，自行也，自止也。
> 故口可劫而使墨云，形可劫而使詘申，心不可劫而使
> 易意，是之則受，非之則辭。[7]

這段文字即在闡明意志自由。

另者，意志的自由性一方面固然與物的有限性有極密切的關係，而最重要的理由是它的非物質性。因為意志是精神性的，所以它才能意願、能抉擇；一個物質物，如一塊石頭、一塊鐵片，是不可能意願或抉擇的。因此意志的精神性是意志自由的基礎。

由是，意志自由等於宣稱人在萬有中具有獨特之尊嚴，這也等於主張人是一個具有位格（person）的存有或主體。

三、

如上述，意志自由是精神體的一種能力，這種能力使它對意識到的有限價值自動採取方向，並使它選擇或不選擇一個有限的善，或者使它在這個或那個有限價值中選取其一。因此，只有意識到某一事物是真實而有限的價值，而且從另一角度同時帶著非價值的成分時，才有自由意志可言。如果某物顯示出是絕對的價值，不為任何缺陷所限制，則意志必然肯定並追求此善；這並非受到強制力，而是有限的精神體

---

7 參見《荀子・解蔽篇》。

面對善時的自然反應。此外，以下觀念的釐清亦有助對自由意志概念之正確把握。首先，我們通常說的一種「運作自由」（freedom of exercise），意即採取或排拒某一個別善、有限善的自由；這是意志最基本的自由。還有一種自由稱為「類選自由」（freedom of specification），意即在諸多個別善中做選擇的自由。並非在每個事例中均可發現這種意志自由。例如一個人選定達成一個目標，他可能發現只有一個個別善的方式可有效地達致那個目標；在這個情況下，他就沒有所謂「類選自由」。

再者，意志自由不應與「放肆」或「過度的自由」（license）相混。「放肆」是一種選擇某一對象的能力，雖然極可能令人滿足，卻不見得使選擇者的本性完美。例如吃垃圾食物（有害的食物）或閱讀猥褻（色情）的書刊的能力是一種「放肆」，但不能算是「自由」（freedom）；因為吃垃圾食物或閱讀猥褻的書刊並不會使一個人更人性，甚至他們的這些作為正違反了他們的人性。真正的「自由」，對反於「放肆」，無需外在或內在的必然性，是一個人去追求足以滿全他本性的善事物的一種能力。正如安瑟倫所言，人真正的自由是一種「不犯罪的自由」。

一個自由若是減弱自己，即使出於自願，也是違反自由的本質。為此，正因為意志是一種能力，則削弱意志的能力，便是削弱自由意志的自由。真正的能力在於有效地意願善的能力；在行惡之後，意志還是自由的，可以意願善，但卻無能為力，於是變成殘廢的自由。[8]

---

8 參見沈清松譯，紀爾松（Etienne Gilson）著，《中世哲學精神》

　　自由也不能與「自發性」（spontaneity）搞混。「自發性」意指在一事物中某種乃來自其內在原理原則的特性，與外在主體無關。如一棵植物的生命活動是自發的、本性的，然而卻不能說是自由的，因為它們是來自內在之必然性。

　　最後，意志自由也可界定成關於有限善的一種中立的狀況。這種中立性（indifference）可以被理解為「在意志自身中的中立性」或「在對象中的中立性」。「在意志中的中立性」可進一步被區分為「主動的中立性」（active indifference）及「主體的中立性」（subjective indifference）「主體的中立性」乃對於一有限的對象去行動或不行動的意志的中立性。「主體的中立性」又可稱為「形式的中立性」（formal indifference），意指一種意志的中立性，確切地說就如「主動的中立性」所植根的的主體般。至於「在對象中的中立性」有時亦可稱為「客體的中立性」，意指被一有限對象呈現出兩個面向的特性：一是從具有可欲屬性的觀點而被理解者；一是從缺乏另一可欲對象所具有的屬性的觀點而被理解者。

第五節　結論：自由的真諦

　　由前文，我們肯定人有自由意志，或說人的意志是自由的；據此，我們理解「人是自由的」此一命題之意含。人透過自己的自由而行惡，但並非選擇行惡才表示人有選擇的自由。人雖是由上帝所創造，然而人在受造時上帝即賦予了人

（台北：國立編譯館，1987），頁 323。

的自由，因有自由而能夠去犯罪作惡，並實際運用犯罪作惡
的能力去犯罪作惡。但這種犯罪作惡的能力並不是人真正的
自由，人真正的自由是一種不犯罪的自由、行善的自由。換
言之，人的自由是在受造時乃不受罪惡的奴隸之自由，可見
人的自由意志不但自由，而且是有效的能力。

　　我們多在西方法律及倫理的傳統中發現了自由意志及
自由，如同聖多瑪斯所言，如果人的意志不是自由的，「建
議、警告、命令，禁止、獎勵、懲罰，便都毫無意義了。」
[9] 此即是說，否認意志自由，就等於否認道德選擇和擔負道
德責任。甚者，如果拋棄自由意志，即拋棄了自由的話，則
人的道德尊嚴亦隨之被取消，造成人的「位格性」之戕害，
而人類的存在也就根本失去任何意義。

　　真正的自由是不違人性且能促進人性、滿全人性的，「只
要我喜歡」只顯示出一種「放肆」或「過度的自由」，而「從
心所欲，不踰矩」則顯示出一種不犯罪作惡的自由，並進一
步指出人行善的自由，這正是符合人性的自由之真諦！

---

9 參見 St. Thomas Aquinas, *Summa Theologica*, I, 83, 1.

第二章　倫理自我主義述評

——自我、自我主義及倫理自我主義[*]

---

[*] 本章主要內容與架構，原載於《哲學論集》第 31 期（1998 年 6 月），頁 271-287。收錄至本書時作了部分修改。

第一節　引　言

　　按照西方規範倫理學（Nomative Ethics），道德或倫理判斷有二大類：一是「道德義務判斷」（judgments of moral obligation 或 *deontic* judgments），一是「道德價值判斷」（judgments of moral value 或 *aretaic* judgments）。所謂道德義務判斷乃關涉某個行為（action）或某種行為是否在倫理上對或錯、應該或不應該等，如「我們應該守承諾」、「蘇格拉底不應逃獄」等屬之。所謂「道德價值判斷則關涉人、動機、意向、品格特性等之是否具有倫理善或惡、是否有德行、是否邪惡、是否負責、是否該譴責……等，如「孔子是個聖人」、「仁愛是種德行」、「他的動機邪惡」等判斷屬之。據此，倫理學依所關注之道德判斷種類之不同，可區分為「道德義務論」或「義務倫理學」（*Deontic* Ethics）及「道德價值論」或「德行倫理學」（*Aretaic* Ethics）。義務倫理學即以「行為」作為探討的要點，注重道德主體——人——「去做」（to do or doing）的問題，並按道德判準之不同區分為以「道德行為自身價值」為主的「義務論」（Deontology），及以「行為效果之非道德價值」為主的「目的論」（Teleology）。道德價值論或德行倫理學則以道德主體之人格、動機、意向、品格特性等作為探討的要點，注重道德主體「成為」或「是」（to be or being）的問題。「義務倫理學」的「義務」一詞，來自希臘文的「δηov（*deon*）」，相當於英文的「duty」或「obligation」；由於強調該做什麼，有時我們也稱之為「做的倫理學」（Ethics of Doing）或「原則道德」（Morality of

Principles）。「德行倫理學」的「德行」一詞。來自希臘文的「αρετη（arete）」，相當於英文的「virtue」；由於強調道德主體成爲什樣的人，有時我們也稱之爲「是的倫理學」（Ethics of Being）或「特性道德」（Morality of Traits）。由此，我們可以發現「義務倫理學」與「德行倫理學」作爲規範倫理學的二大分支，具有某種程度的相對性或對比性。

義務倫理學中的「目的論」主張：道德對錯或道德義務的最終判斷在於其所產生的非道德價值上，也就是說，將道德意義的善化約爲非道德意義的善。目的論者按照「應該促進誰的善」此問題之不同解答而區分爲三種目的論。若主張「凡人應該做促進他自己最大善之事」者，稱爲「倫理自我主義」（Ethical Egoism）；[1]若主張「最大普遍善」（the greatest general good）是應積極致力者，稱爲「倫理普遍主義」（Ethical Universalism）或「效益主義」（Utilitarianism）；[2]若主張「應促進他人的善」者，稱之爲「倫理利他主義」（Ethical Altruism）。

基於上述認知，本章旨在敘述「倫理自我主義」理論本身的意含，並進而評估此理論作爲一倫理理論的合法性、正當性或有效性如何？甚且，它是否爲一健全的、值得採納的

---

1 Egoism 一詞的中文譯名有時亦作「爲我主義」或「利己主義」，本書譯爲「自我主義」乃採用哲學大辭書編審委員會編著之《哲學字典》，（台北：輔仁大學出版社，1990 年 1 月）之譯名。

2 Utilitarianism 一詞的傳統中文譯名是「功利主義」，註 1 所提之《哲學字典》亦是如此。然近年來，學者如沈清松教授多次於文章中建議採用「效益論」或「效益主義」之譯名，以避免一般人對「功利」一詞之負面印象，而造成對「功利主義」的誤解。

倫理理論？在對倫理自我主義闡述之前，筆者以爲「自我」及「自我主義」的哲學意含亦與本文相關，故先行介紹。於是，本章的副標題名爲「自我、自我主義及倫理自我主義」。

第二節　自我（ego）

「自我」（ego）一詞，來自希臘文的 $\varepsilon\gamma\omega$，是第一人稱"I"的代名詞，作爲"self"的同義詞，有時也意指「行爲者」（agent）、「人」（person）、「人的同一性」（personal identity）、「主體」（subject）或「意識」（consciousness）。整部哲學史其實就是從「認識自己」出發，「自我」的概念因此也自有其歷史。尤其「自我」是西方近代哲學家、倫理學家常用的概念，也是當代心理學家佛洛伊德（Sigmung Freud, 1856~1939）倫理學的重要概念。

在人的一切精神活動中，自我是其最後的支持者、主動的來源，一切關係的統一交集點。[3] 在哲學史上，觀念論者視自我爲一觀念的原理，完全無視於人類自我的具體的、歷史的本性；如此一來，自我通常只被當作哲學系統建構中的一個出發點。奧斯定（St. Augustinus, 354~430）曾對自我和自我意識作過很精深的內省，他認爲自我意識是真理無可置疑的起點，即：沒有一個人在懷疑的同時不確定自己的存在。到了笛卡兒（Rene Descartes,1596~1650），提出「我思

---

3 參見布魯格編著，項退結編譯，《西洋哲學辭典》（台北：國立編譯館，先知出版社，1976），頁97。

故我在」，將自我的存在視爲一思考的實體，視爲理性知識的直觀原理，因此也就宣告了自我的獨立性。這種孤立個體的觀點，在觀念論的框架中就導出了所謂「唯我論」（Solipsism）；而在形上學立場採取唯物論的框架中就將人

化約爲順從歷史外在進程的被動客體。心理學上的個人主義（individualism）對自我的詮釋較近於英國經驗主義，而這正是古典德國哲學所摒棄的。德國哲學將自我與實際生活著的社會人區隔，而將自我視爲一「超驗的主體」（transcendental subject）。如康德（Immanuel Kant,1724~1804）認爲所有的知識都要追溯到超驗的自我上，亦即要追溯到自我，而以之爲認識成爲可能的基礎。不過，他並不認爲自我是「物自身」（Ding-an-sich），因爲物自身並非我們認識可能達致的，只有道德的自我可能達到「物自身」。費希特（J. G. Fichte,1762~1814）將「自我」與「非我」相對提出。自我是指作爲知識和意志主體的人類精神，而非我則是由自我創造並與自我對立的客觀世界。費希特認爲哲學倫理學的出發點只能是能動的、創造性的自我與自我意識。他從自我出發，提出了構成其哲學和倫理學基本內容的三個命題：一是「自我設定自身」，自我是主觀精神、道德意志，不是物質的自然產物，因此是絕對的、無條件的，自己規定自己，自己產生自己，而不依賴任何他物；二是「自我建立非我」，自我是精神、是意志，它要活動，特別是要進行道德活動來表現、發展、完善自己，但以上若無障礙活動則無法進行，於是自我爲自己樹立了一個對立面——即「非我」，這個過程就是道德活動；三是「自我與非我的統一」，自我揚棄非我，

回到了自身，即實現、完善了自身，在自我中達到了自我與
非我的統一。至此，德國觀念論把現代思想中的主題發展至
盡頭，而認爲人的自我是絕對的，與神的自我同一，且因此
具有創造性。[4] 存在哲學（Existential Philosophy）則又把自
我拉回到自我有限性的限制中。悲觀主義，尤其是叔本華
（Arthur Schopen hauer,1788~1860），根據印度思想，認爲將
自我絕滅才具有最高價值。這與一般東西方思想，對自我寄
以極高地位實大相逕庭。結構主義（Structuralism）則有蔑視、
甚至否定自我的趨向，以爲唯一實在的是文化中的結構。

　　在佛洛依德學說中，他以爲人的精神機制和人格結構由
「本我」、「自我」和「超我」三部分構成。「本我」（id）又
譯作「伊德」、「以德」或「伊底」，指人的無意識狀態，即
人格中最原始的、與生俱來的無意識結構部分。它由先天的
本能和基本欲望組成，遵循「快樂原則」，強烈地尋求發洩
和滿足。「自我」（ego）即人的意識或自我意識。它處於本我
的欲望衝動和現實的外部世界之間，是一種「實現化了的本
能」，構成人的一切感覺、知覺和理性思維的主體。「超我」
（superego）是一種「道德化了的自我」，包括「良心」和「自
我理想」兩部分。它由後天的道德、宗教等社會意識構成。
其主要職能在於阻止「本我」的欲望衝動任意闖入「自我」
的領域，並指導「自我」去限制「本我」的衝動。[5] 此外，
榮格（C. G. Jung, 1875~1961）的心理學術語中，「自我」只

---

4 參見宋希仁等主編，《倫理學大辭典》（長春：吉林人民出版社，
　1989），頁 434。
5 同註 4，頁 237-238。

指意識的自我，而自性（Selbst）則包括無意識、甚至包括神性事物。

　　整部西洋哲學史可以說就是從「認識自己」出發，自我開始表現於未發展的自我意識（Ego-Consciousness, Self-Consciousness）中，這種自我意識伴隨著展向其他對象的活動，或存於我們精神直接指向外物的視線中。自我意識不只是一群動作的流轉，因為事實上我們無法把握住那些自由流動的思考和意願，而只能把握住思考者和意願者，即受這些思想和意願所限定的主體。行為儘管在變更，主體始終是一個。如此，我們知道自我的實體性（substantiality）；它並非一瞬即逝的心理過程，而是諸心理過程的持久後盾。行為只是自我的附質限定而已，自我不是其他事物的限定。[6]

第三節　「自我主義」（Egoism）及「倫理自我主義」（Ethical Egoism）

　　「自我主義」在哲學的使用上，主要指涉倫理學理論，雖然它有時候也指涉某種知識理論。在知識論的立場上，自我主義可歸在「唯我主義」（Solipsism）的觀點之下；唯我主義是唯心論的一支，它除了思想行為及一己的主體以外不承認有任何的確切事實，其他一切或者不可知或者不確切。

　　知識論立場以外的自我主義至少有四種不同形式，[7] 其

---

6 同註3，頁97-98。

7 Louis P. Pojman, *Ethics-Discovering right and wrong*(Belmont, California: Division of Wadsworth, Inc, 1990), pp. 40-41.

中有二個是倫理學的自我主義，現分述於後。

一、心理的自我主義（Psychological Egoism）：

　　心理的自我主義是對人性的一種描述，主張人永遠只會做以爲對自己最有利的行爲。據此，人行爲的動機只能是自私自利的（self-interested），人無可避免的只能是自私的（selfish），人只能爲促進或增益自己的利益而行動或努力。因此，利他主義（altruism）──我們能夠且應該做對他人有利之行爲之理論──是不可能的且無效的。

　　心理的自我主義本身並非一倫理學說，它是一種解釋關於人性或人的動機本質的心理（學）理論。然而，它似乎蘊含了某種倫理（學）上的自我主義，即認爲每個人永遠追求自己的利益是道德上對的事。

二、個人的自我主義（Personal Egoism）：

　　個人的自我主義不是對人性描述的理論，而是對一種人格型態的描述（a description of a type of personality）。它主張：我總是選擇對我最有利的，而不顧對其他人的影響。它不關涉什麼是對、什麼是錯或什麼是應該等問題之反省，它並不是一個倫理學說；事實上，它對自我的或非自我的倫理學說採取中立態度。因此，個人的自我主義只是一種自愛的現象狀態之描述，我們也可稱之爲「現象的自私主義」（Phenomenal egotism）或將之等同於所謂的自私自利

（selfishness）。雖然「一」所言的「心理的自我主義」並不真，也就是說，人並非永遠只會做以為對自己最有利的行為，但現實生活中的確有些人是「個人的自我主義」。

三、個人的倫理自我主義（Individual Ethical Egoism）：

「個人的倫理自我主義」主張：每個人都應該做對「我」最有利的事。不同於「一」、「二」，此派主張要求他人為「我」（說話者）服務。這是個倫理學說，它界定道德的對在於是否對「我」有利，而不管是否對他人有利。當然，每個服膺此派學說的人都可以將他自己的名字代入那個「我」之中。於是，例如「張三」是個個人的倫理自我主義者，此時界定道德對（moral rightness）在於是否對張三有利。因此，遠在烏干達的母親是否愛她的子女、遠在印度的子女是否孝順他們的父母等在道德上是不相干的，因為這些對「張三」那個「我」沒有任何影響；另者，一旦「張三」死了，道德也就滅亡了，因為已經沒有界說道德的對象了。

有趣的是，儘管此派主張看來似乎不真，可是它卻是許多宗教人士界定倫理或道德的中心立場，諸如界定道德善為「對神或上帝有利且取悅上帝」。此派理論可說是自私自利的或相合於某種倫理權威。我們不禁要問：究竟是什麼理由或原因使得「你」（那個「我」）如此特別而要我們視「你」的利益為最優先關注者？為什麼我們有這種義務？[8]

再者，如果一個人在公眾倡導這個信條，以這個信條教

8　Ibid., p. 74.

育他人，引導他人接受和應用這個信條，結果會反而損害倡
導者本人增進自我利益高於他人利益的欲望及初衷，這個信
條也就變成一個失敗的理論。換言之，這個主張會比較類於
個人信條而不像是一個值得推擴和適於普遍化的倫理學理
論，因爲它不是給自己以外的人掌握應用的。如此一來，它
作爲一合法有效的倫理學理論，也是令人懷疑的。

四、普遍的倫理自我主義
（Universal Ethical Egoism）：

　　「普遍的倫理自我主義」亦是一倫理學說，它主張：每
一個人都應該做對他自己最有利的事，甚至當他的利益與他
人的利益衝突時。與「個人的倫理自我主義」比起來，「普
遍的倫理自我主義」是一合法的倫理學說，因爲至少它是一
普遍的理論。

　　此派主張雖是「自我主義的」（egoistical），卻未必是「自
私自利的」（egotistical）；甚至它可能是一審慎、開明的
（enlightened）。此派學說對行爲的考量在於「就長遠來看」
（in the long run）是否對行爲者或道德主體有利，因此事實
上，一個普遍的倫理自我主義者可能與謙虛、彬彬有禮、不
自私相容，因爲他可以認爲謙虛、彬彬有禮、關心別人等等，
都和「誠實」一樣是「上策」。[9]同樣地，他爲了達到自己的
目的，在某種程度上也允許自己放棄某些自由以及與他人合
作。

9　William K. Frankena, *Ethics* (Engleword Cliffs, N. J. Prentice- Hall, 1963), p. 18.

第四節 「普遍的倫理自我主義」的 三種論證及檢討

歷史上，支持倫理自我主義的論證主要有三：一是「經濟學者的論證」（The Economist Argument）；二是「蘭德關於自利之德的論證」（The Ayn Rand Argument for the Virtues of Selfishness）；三是「霍布斯的論證」（The Hobbesian Argument）。[10] 現在，讓我們先陳述他們的說法，然後再檢視它們。

一、經濟學者的論證：

經濟學者像亞當・斯密（Adam Smith,1723~1790），認為在一個具競爭力的市場中，個人的自利（self-interest）通常可產生為整個社會而言最大善的最佳狀態，因為人人自利競爭的特殊本性可導致每個人有比對手（競爭者）較佳的生產及較低的賣價。換言之，審慎開明的自利（enlightened self-interest）像藉用一隻看不見的手，能導致全體最佳的狀況。

二、蘭德關於自利之德的論證：

蘭德（Ayn Rand, 1905~1986）在《自利之德：自我主義

---

10 同註 7，頁 47-49。

的新概念》（ *The Virtues of Selfishness: A New Concept of Egoism* ）一書中，她主張自利是一種德行，而利他則是一種惡行。她說：

> 如果一個人接受利他主義的倫理學，那麼他的首要關懷不再是如何過他的生活，而是如何犧牲生命……利他全義腐蝕人們把握個人生命價值的能力；這顯示心靈自此將人之存有的實在性清除殆盡。[11]

　　蘭德以為利他主義要求人們犧牲他們的生活或生命，而不是尋求幸福快樂，而幸福快樂應是人生命的最高目標。因此，蘭德的論證似乎可以表述如下：

　　（一）人的能力處於幸福狀態的滿全是人最高的目標。我們具有達到此目標的道德義務。

　　（二）利他主義的倫理學要求我們犧牲我們的利益，而且要求我們為他人的善而生活。

　　（三）因此，利他主義的倫理學是不符合幸福的目標的。

　　（四）倫理的自我主義教我們無論如何都要追求我們自己的幸福，而這是與幸福的目標一致的。

　　（五）因此，倫理的自我主義是正確的道德理論。

三、霍布斯的論證：

　　根據霍布斯，我們人在自然本性上就無可避免地是個心理的自我主義者；因此，過自利的生活是可被允許的。然而，

---

11 Ayn Rand, *The Virtues of Selfishness : A New Concept of Egoism*. New York: New American Library, 1964, pp. 27-32.

開明的常識（enlightened common sense）告訴我們：我們應該追求及實現我們長遠的利益而非短視近利，所以我們必須避免我們感覺上的立即報酬，避免做一些破壞社會規約的事而影響我們達成我們的目標。甚至，我們或許應該遵守所謂「黃金律」（the Golden Rule），即「你希望別人如何待你，你就如何待人」或「己所欲，施於人」（Do unto others as you would have them do unto you），因為做對他人善之事將有助於確保他人做對我們善的事。然而，有時候當欺騙他人能對我們產生最大的利益時，我們卻應當欺騙；有時候當傷害他人對我們最有利時，我們也應當傷害他人。

有時候，自我主義的說法奠基於主體的相對價值的觀念之上。此派理論以為：所有價值在本質上屬於主體自身，而每個主體有他自己的序階及特有的一組價值，因此每個主體會有對行為的不同理由。沒有什麼主體中立的價值是可用於所有人身上的。很自然地，我們必須與他人合作以完成我們的計劃，但在這個世界上我們終究是唯一確切知道什麼是價值所在的人。也因此，有時候或許我們不免為了實現自己的計劃而傷害了他人。

四、檢　討

關於以上三個論證，我們的初步反省如下：

（一）基本上，「經濟學者的論證」並非針對倫理自我主義的論證，而是為了要論證效益主義，因為它要藉用人人的自利來達成全體的善。這個論證的目的在於社會效益，但它卻將希望置於自由企業系統中一隻天生不可見的手，藉由

此引導審慎開明的自利朝向目標。我們可以說，在這個系統中有雙層（tier）：較高階的是「功利的」、「普遍的目標」、「社會效益」，而較低階的是日復一日實踐的自我主義、個人的動機、是自我主義的。此論證似乎告訴我們：不必去擔憂社會好不好、社會效益的問題，只要關心我們自身的利益即可，因爲這樣我們就會達致最高可能的社會效益了。在這個雙層系統中或許隱含某些真實，但面臨的第一個問題即是：如何能將經濟學原理移植到個人關係的領域？個人關係（personal relations）和經濟關係具有大不相同的邏輯。在倫理的意含上，增進最大效益的最佳方式，可能是爲他人犧牲生命，而不是去殺另外一個人。其次，我們也不清楚它是否是古典放任主義的資本主義的作品。因爲，自從 1929 年經濟蕭條後，大部分的經濟學者改變他們的信念，轉向古典資本主義，而且大部分的西方國家也將資本主義增補至某些政府介入（governmental intervention）之中。同理，雖然自利或許通常會導出較大的社會效益，但也需要透過關懷他人的補充。正如古典資本主義已經改變，願意允許政府介入，於是有了爲弱勢民眾而設的福利系統、大眾教育、社會安全及醫療保險等。也因此，一個恰當的倫理系統必須將注意力集中於他人的需求上，並且導引吾人去面對他們的需求，即使這樣做並不符合我們自己立即的自利。

（二）「蘭德關於自利之德的論證」呈現出一種「僞雙刀論證的謬誤」（the fallacy of a false dilemma）的缺失：它單純地假定絕對的利他主義及絕對的自我主義是兩種唯一的選擇。而這是事情的一種極端觀點。事實上，在這兩種立場

之間尚有許多其他的選擇。類比於快樂主義的弔詭，甚至一個優越的自我主義者也會承認，有時候達致自我實現的最佳方式就是忘記我們自己而為目標、主義或其他人而奮力不懈。甚且，即使利他主義作為一個義務並不必要，但它仍在許多事例當中是被允許的。再者，「自利」或許與「關心他人」（other-regarding）的動機並不那麼不相容。摩西和耶穌所敘述的摩西十誡中的第二條誡命並不是要人總是為他人犧牲自己，而是人應該愛近人如愛你自己（肋未紀 19：18；瑪竇福音 22：39）。「自利」和「自愛」都是道德上善的事物，但這並非摒棄了他人合法的權益。當產生了所謂利益的倫理衝突時，一場公平公正的裁決過程就有必要了。

（三）「霍布斯的論證」是三個論證當中看來較具說服力的，但我們可以說它似乎太仰賴心理的自我主義了。它假定我們除了利己之外別無可能，我們似乎不能做得比利己再好的了，因此我們應當儘可能地做個開明的自我主義者。但，假定如前所言，心理的自我主義是偽的，那麼就沒有什麼理由去排除非利己行為的可能性。[12]

第五節　對「普遍的倫理自我主義」的評論

我們知道，倫理自我主義與利他主義及一切講求自然道德律的倫理學說衝突，甚至可以說，其實他們就是起於對傳統規則的倫理學的一種極端反動；布特勒（Butler）所謂的

---

12 同註 7，頁 49-50。

「自愛的倫理學」(Ethics of Self-love)屬之,弗洛伊德派學者所謂的「自我的倫理學」(Ethics of the Ego)亦屬之。

「普遍的倫理自我主義」作為一倫理學說,亦有其理論困難。首先,如果每個人都努力追求他自己的利益,就不可能是自我主義者自己的利益。我們可以設想,如果每個人皆利己地行為,似乎可以合理地推斷必將發生許多衝突,正如同當前許多國際衝突的根本原因在於各國僅追求自己的利益一樣。按照自我主義,衝突情況中的雙方都應該追求自己的最大利益而排斥對方的利益,這在道德上是被允許的。T. L. Beauchamp 曾舉過一個例子:假設反戰示威者阻止運載製造炸彈的化學藥品列車,符合反戰運動的利益,而鐵道運輸部門卻因此會有利益損失,於是它必須制止示威者這樣做。按照自我主義,一方在追求自身利益的同時又排斥對方的利益,雙方的這種追求在道德上都是被允許的。如果我們設想反戰運動者為利己主義者,就會發現一種奇怪的情形產生。為了貫徹利己主義,示威者必須堅持:即承認鐵路當局應該追求自己的利益,其中包括挫敗反戰運動者自己的反戰目的及手段(因為一切人都應該追求自己的利益,倘有必要,還應挫敗對方)。然而如此貫徹自己的理論的結果,利己主義者實際上卻不得不支持(或至少是默許)一個反對自己利益的理論,因此利己主義理論與自己原來的意圖極可能是不能前後一貫的。[13] 康德也指出,任何人都無法願意將自我主義

13 參見 Tom L. Beauchamp 著,雷克勤等譯,《哲學的倫理學》(*Philosophical Ethics*)(北京:中國社會科學出版社,1990 年 5 月 1 版一刷),頁 98。

的格律普遍化。即使在邏輯上，可以假設自己的利益和他人的利益一致；但這在經驗上是個很可疑的假設，因為它假設在人文世界有個「預定和諧」（pre-established harmony）的狀態。如果預定和諧的假設不真，則此派觀點就會使人產生意志的衝突（conflict of will），而不能成為一套道德理論。

其次，道德的其中一項重要工作是扮演勸告者（advisers）、仲裁者（judges）的角色。[14] 假如 A 要給 B 道德勸告，按照普遍的倫理自我主義的信條，A 要勸告 B 做出對 A 自己有利之事，而這樣就不成其為勸告了。又假設 C 與 D 二人有不愉快，而要求 E 做道德上的仲裁；依照普遍的倫理自我主義，E 需依 E 自己的利益而非 C 與 D 的利益做仲裁，而這也不成其為仲裁了。由此可知，普遍的倫理自我主義者不能恰當地擔任道德勸告和道德仲裁。[15]

最後，值得質疑的是：普遍的倫理自我主義所宣稱的「審慎」（prudentialism）是否足以稱說道德？事實上，審慎與道德無關。自愛的考慮不是道德的考慮，審慎的觀點也不是道德的觀點。道德的觀點是無私的（disinterested），不是自私或偏私的。

第六節　結　論

倫理的自我主義在規範倫理學當中隸屬於目的論，不論是「個人的倫理自我主義」或「普遍的倫理自我主義」在哲

---

14 同註 9，頁 12。
15 同註 9，頁 19。

學上的困難一如前述，因此並不構成一影響力強的倫理學
說。由於只強調及關注個人利益與福祉，與目的論的另一重
要學派--效益主義，以追求最大多數人的最大幸福宗旨相
比，在理論上遜色許多。由於只重視利益，並不關注行為本
身及其道德性，故亦不如以康德為首的義務論；加之並不強
調人之為道德主體的德行（德性）及德行之培育，亦不如德
行論。總之，倫理自我主義之理論困難重重，其合法性、正
當性或有效性均值得懷疑，作為一健全可行之倫理理論更談
不上，它頂多只能作為宣揚個人主義的一種理論藉口罷了！

參考書目

哲學大辭書編審委員會編著，《哲學字典》，台北：輔仁大學
　　出版社，1990 年 1 月。

布魯格編著，項退結編譯，《西洋哲學辭典》，台北：國立編
　　譯館，先知出版社，1976。

宋希仁等主編，《倫理學大辭典》，長春：吉林人民出版社，
　　1989。

雷克勤等譯，Tom L. Beauchamp 著，《哲學的倫理學》
　　（*Philosophical Ethics*），北京：中國社會科學出版社，
　　1990。

Frankena, William K. *Ethics*, Engleword Cliffs, N. J.: Prentice-
　　Hall, 1963.

Louis P. Pojman, *Ethics-Discovering right and wrong*. Belmont,
　　California: Division of Wadsworth, Inc, 1990.

Rand, Ayn. The Virtues of Selfishness : A New Concept of
　　Egoism. New York: New American Library, 1964.

第三章「善」的意義與價值

——以孔孟哲學為例[*]

· 價值與善：「善」的一般意義
· 《論語》中的「善」概念
· 《孟子》中的「善」概念
· 孔孟之「善」完成於「德行」
· 結　論

---

[*] 本章內容最初宣讀於 2001 年 6 月 8 日由中國哲學會主辦之「價值哲學學術研討會」。後經修改曾刊載於《哲學與文化月刊》第 29 卷第 1 期（332），2002 年 1 月，頁 30-44。由於倫理學的目的即在追求普遍善，「善」的探討極具意義，故收錄此文於本書，特此說明。

【內容摘要】

中西哲學家多重視「善」的概念或理念，因爲「善」往往被視爲「價值」的根源。除了在理論哲學中的形上學或本體論裡作爲存有的超越屬性「一」、「真」、「善」、「美」之一，「至善」或「善自身」甚至等同於「第一因」或「上帝」外，「善」也作爲實踐哲學中的倫理學裡倫理行爲或人性行爲的價值歸趨，中國儒家哲學更將「善」作爲人性的代名詞或人性的本質或人性的特質或趨向。孔子首立儒學之爲成德之教，其「善」的意涵主要環繞於倫理意義的善，「善」也呈現與「美」的和諧統一；孟子除延續倫理意義的善及美善的和諧統一觀外，更指出人性是善，奠定了後世儒家性善論的基調。本文就孔孟二子之「善」的意義與價值作爲探討主題，進一步嘗試提出孔孟之「善」見於「德行」，完成於「德行」，可以將「善」描述爲「人與諸存有之間適當關係的實現或滿全」。

【關鍵詞】

善、價值、倫理善、孔子、孟子、美善合一、性善、德行、天人合德

> 吾人一生中最應全力以赴之事乃是，尋找價值、了解價值、並深深體會價值。
>
> —— J. M. Bochenski（1958）

> 可欲之謂善，有諸己之謂信，充實之謂美，充實而有光輝之謂大，大而化之之謂聖，聖而不可知之之謂神。
>
> ——《孟子‧盡心下 25》

第一節 價值與善:「善」的一般意義

「判斷」通常可以分成二種:一是「實然判斷」
（judgments of fact），一是「價值判斷」（judgments of
value）。人的日常生活中，除了要理解、明白事物外（實然
判斷），還常需要「評價」事物（價值判斷）。這說明了價值
及其相關事物也是人生不可或缺的因素。哲學是一門以人類
理智的自然本性之光研究宇宙人生諸事萬物的第一因或最
高原理原則的科學，[1] 其中包括了知識的「真」、倫理的「善」、
藝術的「美」以及宗教的「聖」各個領域，而有不同的哲學
分支。因此，哲學家也研究「價值」的問題。事實上，二千
多年來，「價值論」（Value Theory）或「價值學」（Axiology）
作為「企圖澄清人的生活價值的理論」，[2] 一直是各哲學裡相
當重要的基礎部分。關於價值，我們必須分辨三樣東西:第
一，有一個實在的事物，它能被賦予價值，不論是正面的或
負面的價值;第二，這事物是因為具有一種性質，所以才能
夠被評價，這個性質就是最嚴格意義的「價值」一詞;第三，
當我們領會到價值時，我們心中揚起某些意志，如想要躬行
實踐或感到義憤等等。也就是說，我們不要混淆了「具有價
值的事物」、「價值本身」和「人們對價值的態度」三樣不同

---

1 Jacques Maritain, translated by E. I. Watkin, *An Introduction to
  Philosophy* (Taipei: yeh-yeh, 1985), p. 69.
2 王弘五譯，J. M. Bochenski 原著，《哲學講話》（台北:鵝湖，
  1977），頁 60.

的東西。[3]「價值本身」又至少包含知識價值、倫理價值、藝術價值以及宗教價值。[4] 本文主要將視角置於倫理價值所呈現的「善」上。

　　「善」（有時也可說是「好」；英文作 good），是「讚賞」（commendation）最普遍的語詞。[5] 只要會運用語言，幾乎沒有人不會或不曾使用過「善」或「好」一詞。當然，是否人人都能正確無誤地使用「善」或「好」是另一個問題。《牛津英文字典》（*Oxford English Dictionary*）說「善」是：「讚賞最普遍的形容詞，隱含某些可敬的或有用的特殊性質之大量存在。」[6]「善」一詞的使用是超範疇的。「善」一詞可以指涉事物的美善，如山水風景等自然物的美善，畫作、攝影作品、電影、建築、音樂、詩歌、舞蹈等藝術作品的美善，汽車、電腦、家具、文具、玩具、用具、農作物、食物等實用品的美善，也可以指涉觀念此抽象物的美善（如「好觀念」、「好點子」、"good idea"）。「善」一詞還可以指涉人——尤其作爲「道德主體」或「倫理人」——的美善，如「他的品行良善」、「她的動機良善」。也還可以指涉人的行爲的美善，如「這位體操選手的馬鞍動作漂亮（美善）」、「美國第

---

3 同上註，頁 63。
4 作者所服務的學校天主教輔仁大學就是以這四種價值所呈現的「真、善、美、聖」作爲校訓。
5 Julius Kovesi, *Moral Notions*(Lodon: Routledge & Kegan Paul, 1967), pp. 1-2.
6 Oxford English Dictionary: "The most general adjective of commendation, implying the existence in a high, or at least satisfactory, degree of characteristic qualities which are either admirable in themselves, or useful for some purpose."

一任總統華盛頓的誠實行為很好」。也還可以指涉事件結果的美善，如「大家都誠懇待人的結果是好的」、「實施垃圾不落地政策對整體環境的結果是好的」、「每個學生都吃早餐的學習結果是好的」。……以上的各種「善」的使用，或許是基於各種標準，我們可以按倫理意義的有無區分為二種善：一是倫理意義的善（moral good）；如作為「道德主體」或「倫理人」的美善，像「好人」、「善人」、「善良意志」、「善念」、「良善動機」、「美德」等；以及由道德主體發出之人性行為（human acts）[7]的美善，像「好事」、「好行為」等。一是非倫理意義的善（nonmoral good），倫理意義以外的其他美善均屬之，如「好的作品」、「好的工具」、「好的動作」、「好的建議」、「好的結果」等。

　　善是一種價值（value）。倫理意義的善就可說是一種倫理價值；而非倫理意義的善就是一種非倫理價值。亞里斯多德從三方面說善，他說：「一件事物之美善，可從三方面言之：第一，本身為善；第二，其所具有之某種性質為善；第三，與其事物之某種關係為善。」[8]他又說：「善可分為三類：（一）外在的善，（二）精神的善，（三）身體的善。精神之善與心靈相關，故為最適當而真正的善。」[9]亞里斯多德作

---

7 「人性行為」的討論可參見 St. Thomas Aquinas, *Summa Theologica*, I-II, 1, 1-3.

8 見高思謙譯，《亞里斯多德宜高邁倫理學》（台北：台灣商務，1979），第一卷，第十三章，頁 6。另見 Aristotle, trans. by W. D. Ross, *Ethica Nicomachea*, 1102a5, edited. by Richard McKeon, *The Basic Works of Aristotle*（台北：馬陵，1975），p. 950。

9 同上註，頁 12。

為西洋德行倫理學（Virtue Ethics）的第一位系統表述者，尤其看重德行之為善（屬於精神的善）的倫理學意涵。至於非倫理價值的種類，不同的哲學家或有不同的區分，例如有人區分如下：（1）效益價值（utility values）：事物之善肇因於使用它們可達致某個目的；（2）外在價值（extrinsic values）：事物之善肇因於它們是達致某個善目的的手段或工具；（3）固有價值（inherent values）：事物之善肇因於默觀它們的經驗即是善；（4）內在價值（intrinsic values）：事物就其自身即是善或事物之善肇因於它們自身的內在性質（5）貢獻價值（contributory values）：事物之善肇因於它們對內在善生活的達致有貢獻。[10] 而同一事物可能有一種以上意義的價值或善，例如「知識」可能具有內在、外在、效益及貢獻諸價值。

歷史上的中西哲學家多重視「善」的概念或理念，因為「善」往往被視為「價值」的根源。除了在理論哲學中的形上學或本體論裡作為存有的超越屬性（transcendental attributes）「一」、「真」、「善」、「美」之一，「善」與「存有」具有可互換性，[11]「至善」或「善自身」甚至等同於「第一因」或「上帝」外，「善」也作為實踐哲學中的倫理學裡倫理行為或人性行為（human acts）的價值歸趨，中國儒家哲學更將「善」作為人性的代名詞或人性的本質或人性的特質或趨向。「善」的意義如何？「善」是否可以被定義（本質

---

10 W. K. Frankena, *Ethics*(New Jersey: Prentice-Hall, INC.,1973), p. 82.

11 士林哲學有所謂「一切存有皆善」（*Omne ens est bonum*）的說法。見鄔昆如，《倫理學》（台北：五南，1993），頁 319。

定義）？如何正確理解「善」？成爲中西哲學的重要課題。
限於篇幅，限於能力，本文僅就中國孔孟儒家哲學，主要以
《論語》、《孟子》二書爲據，探討二子之「善」的意義與價
值。孔子作爲儒家第一位哲學家，首立儒學之爲成德之教或
成德之學，其「善」的意涵主要環繞於倫理意義的善，善也
呈現與「美」的和諧統一。孟子由於時代稍晚，雖未直接受
教於孔子，卻曾說「乃所願，則學孔子也」（《孟子・公孫
丑上 2》）、「自有生民以來，未有孔子也」（同上）、「聖人之
於民，亦類也。出乎其類，拔乎其萃，自有生民以來，未有
盛於孔子也」（同上），對孔子極其推崇。故《孟子》一書多
「述仲尼之意」[12]《孟子》二書在「善」的意涵上，延續倫
理意義的善及美善的和諧統一觀而更進一步指出人性是
善，在善的問題上有更多的發揮，奠定了後世儒家性善論的
基調。以下分別就代表孔子思想的《論語》、孟子思想的《孟
子》二書中提到過的「善」概念進行一般的分析與統整；之
後進一步嘗試提出孔孟儒家之「善」見於「德行」，完成於
「德行」，似乎可以將「善」描述爲「人與諸存有之間適當
關係的實現或滿全」。

第二節 《論語》中的「善」概念

《論語》全書中提及「善」一詞計有 42 次，[13] 排除非

---

12 見司馬遷，《史記》卷七十四〈孟子荀卿列傳第十四〉。
13 根據蔣致遠主編，《論語引得》（台北：宗青，1989），頁 134，

倫理意義的善之後，[14] 僅剩下約 20 個段落 26 次具有倫理意義的善。我們按照其談論的主題，可以區分為二種主要意義。

　　第一種是指稱一般倫理道德意義之善，此種善具有某種常理常識（common sense）之意，可以為一般人的直觀所把握。整理如下：

1.「子謂韶『盡美矣，又盡善也。』謂武『盡美矣，未盡善也。』」（《論語·八佾 25》）

2.「德之不修，學之不講，聞義不能徙，不善不能改，是吾憂也。」（《論語·述而 3》）

3.「蓋有不知而作之者，我無是也。多聞，擇其善者而從之，多見而識之，知之次也。」（《論語·述而 28》）

4.「曾子曰：鳥之將死，其鳴也哀。人之將死，其言也善。」（《論語·泰伯 4》）

5.「季康子問政於孔子曰：如殺無道，以就有道，何如？孔子對曰：子為政，焉用殺？子欲善，而民善矣！君子之德風，小人之德草，草上之風必偃。」（《論語·顏淵 19》）

6.「孔子對曰：……如其善而莫之違也，不亦善乎？如不善而莫之違也，不幾乎一言而喪邦乎？」（《論語·子路 15》）

7.「子曰：知及之。仁不能守之，雖得之，必失之。知及之，仁能守之，不莊以涖之，則民不敬。知及之，仁能守之，

「善」部分計算而得。

14 傅佩榮指出孔子的善概念的次要用法有三種詞類：感嘆詞、動詞及副詞。這可說與本文所謂的「非倫理意義的善」一致。參見傅佩榮，〈解析孔子的『善』概念〉，《哲學雜誌》第 23 期（台北：業強，1998 年 2 月），頁 172 至頁 174。

莊以蒞之，動之不以禮，未**善**也。」（《論語·衛靈公33》）

8.「孔子曰：益者三樂，損者三樂，樂節禮樂，樂道人之**善**，
　樂多賢友，益矣！樂驕樂，樂佚遊，樂宴樂，損矣！」（《論
　語·季氏5》）

9.「孔子曰：見**善**如不及，見不**善**如探湯；吾見其人矣，吾
　聞其語矣。隱居以求其志，行義以達其道；吾聞其語矣，
　未見其人也！」（《論語·季氏11》）

10.「子路曰：昔者，由也聞諸夫子曰：親於其身爲不**善**者，
　君子不入也。」（《論語·陽貨6》）

11.「子張曰：異乎吾所聞！君子尊賢而容衆，嘉**善**而矜不能。
　我之大賢與，於人何所不容？我之不賢與，人將拒我，如
　之何其拒人也？」（《論語·子張3》）

12.「子貢曰：紂之不**善**，不如是之甚也。」（《論語·子張20》）

　　第二種是指稱「善人」之善，也就是「道德主體」之善。
整理如下：

13.「舉**善**【善人】而教不能【未能爲善之人】則勸」（《論
　語·爲政20》）

14.「子曰：三人行必有我師焉。擇其**善**者【善人】而從之，
　其不**善**者【不善之人】而改之。」（《論語·述而22》）

15.「子曰：聖人，吾不得而見之矣！得見君子者，斯可矣！
　子曰：**善**人，吾不得而見之矣！得見有恆者，斯可矣！亡
　而爲有，虛而爲盈，約而爲泰，難乎有恆矣！」（《論語·
　述而26》）

　　【朱子注云：「聖人，神明不測之號；君子，才德出
　　衆之稱。」又引張子曰：「有恆者，不貳其心；善人

者，志於仁而無惡。」這各是兩等人；孔子求其上者
而不得，故思見其次也。其中「有恆」為入德之門。】

16.「子曰：**善人**為邦百年，亦可以勝殘去殺矣。誠哉是言也！」
（《論語·子路11》）

17.「不如鄉人之**善者**【善人】好之，其**不善者**【不善之人】
惡之。」（《論語·子路24》）

18.「子曰：**善人**教民七年，亦可以即戎矣！」（《論語·子路
29》）

19.「周有大賚，**善人**是富。」（《論語·堯曰1》）

20.「子張問**善人**之道。子曰：不踐跡，亦不入於室。」（《論
語·先進19》）

　　由引文1.孔子對《韶》樂、《武》樂的高下不等的評述，
可以看出孔子以為美、善二種價值在理想上應該是要合一
的，而且善的價值應優先於美的價值。這也顯示出孔子的美
學思想中，審美意識立基於道德意識之上，或者說二者的緊
密結合中當以道德意識為先、為本。類似的看法還見於如《論
語·學而12》：「禮之用，和為貴。先王之道，斯為美【美好、
可貴】」；《論語·里仁1》：「子曰：里仁為美【好】」；《論語·
顏淵16》也記載：「子曰：君子成人之美【好】，不成人之惡。
小人反是」，由君子、小人在德行上的對反顯示美與惡的對
立其實就是善與惡的對立；《論語·堯曰2》記載孔子回答子
張「何如斯可以從政矣？」之問時說道：「尊五美【美德】，
屏四惡【惡政】，斯可以從政矣」，孔子也從為政之道上顯示
五美與四惡的對反其實就是倫理上善與惡的對立。這幾處的
「美」，都不是作為感性學之美學上的美之為美，而更好說

是倫理道德意涵的「善」。在人類的早期意識中，美與善是混沌未分的。以後，美感作爲一種特殊的快感，才逐漸與善區分開來。在理論上，孔子可說是第一個將美與善明確區分之思想家[15]。他認爲未盡善的事物也可以是盡美的，這說明孔子看到了美有別於善者。但孔子又說：「人而不仁，如樂何？」（《論語·八佾 3》），樂之美的表現必須奠基於人心之「仁」上；又說：「質勝文則野，文勝質則史。文質彬彬，然後君子。」（《論語·雍也 16》），「質」指人的內在道德品質，「文」指人的文飾，只有當文與質和諧統一時，方可成爲一彬彬君子。文與質的統一其實就是美與善的統一。孔子不僅看到了美與善的差異，更看到了二者之不矛盾、可融合處；因此美還要盡美、善還要盡善，既要盡美又要盡善。孔子以爲美與善之不同價值合一的理想在此又獲進一步的證實。

第三節 《孟子》中的「善」概念

《孟子》全書中提及「善」高達 113 次，[16]排除非倫理意義的善之後，尚有約 83 次具有倫理意義的善。其中，孟子曾給「善」有過類似定義式（但非本質定義）的說法，見於《孟子·盡心下 25》：

---

15 李澤厚、劉綱紀主編，《中國美學史》（台北：谷風）第一卷上冊，頁 152。

16 根據蔣致遠主編，《孟子引得》（台北：宗青，1989），頁 317-319，「善」部分計算而得。

> 浩生不害問曰：樂正子何人也？孟子曰：善人也。信
> 人也。何謂善？何謂信？曰：可欲之謂善，有諸己之
> 謂信，充實之謂美，充實而有光輝之謂大，大而化之
> 之謂聖，聖而不可知之之謂神。樂正子二之中，四之
> 下也。

孟子爲了說明樂正子的人品，一口氣述說了「善」、
「信」、「美」、「大」、「聖」、「神」六種德行，而這六種德行
似乎存有某種秩序。孟子以爲樂正子是個善人，也是個信
人，其人品在「二之中，四之下」，意即在「善」、「信」二
者之中，在「美」、「大」、「聖」、「神」四者之下。「善」作
爲德行或德目之一，並非最高的。朱熹集註曰：「天下之理，
其善者必可欲，其惡者必可惡。其爲人也，可欲而不可惡，
則可謂善人矣。」[17] 而「信」則更進一步，「凡所謂善，皆
實有之，如惡惡臭，如好好色，是則可謂信人矣。」[18]「美」
是「充實」，就是說個體人格進一步將善人、信人所遵行的
仁義理智等道德原則擴充到自己的容貌形色行爲等各個方
面（如「德潤身」）。「大」是「充實而有光輝」，就是人的道
德人格光照四方。[19]「聖」是「大而化之」，就是用道德人格
化育天下。[20]「神」是「聖而不可知之」，就是聖人爲何能用
道德人格化育天下是神秘莫測的，不是一般人可以掌握的。
因此，「神」是對「聖」的進一步說明，不是「聖人」之上

---

17 宋・朱熹集註，蔣伯潛廣解，《四書讀本─孟子》（台北：啓明），
　　頁 360。
18 同上註，頁 360。
19 焦循，《孟子正義》：「充則暢於四體，光則照於四方。」

還有高一等的「神人」存在。[21] 葉朗教授據此以爲：「孟子
在這裡說的美與善，並不是並列的兩個範疇。美包括善，美
高於善」。[22] 若僅就這個上下文脈絡的「美」概念和「善」
概念而言，的確如此。這裡談的「美」也不是作爲感性學
之美學上的美之爲美，這六種德行五種人品的描繪，究
其實仍在倫理道德意義之善的論域內，美善在孟子人格美
（善）的詮釋中獲致內在的和諧統一。有趣的是，就孟子「可
欲之謂善」而言，與西洋傳統從亞里斯多德到多瑪斯的倫理
學說，不謀而合。多瑪斯的 *"Bonum est quidquid appetibile."*，
就完全可以譯爲「可欲之謂善」。[23]「可欲之謂善」的觀點，
可說是中西哲人心同理同對「善」的初步認定，但不僅於此。
[24]《孟子》其他段落，我們按照談論的主題，可以區分爲以
下四種意義。

　　第一種是指稱一般倫理道德意義之善，此種善具有某種

---

20 趙歧注：「大行其道，天下化之，是謂聖人。」
21 同註 17。「程子曰：聖不可知，謂聖之至妙。人所不能測。非
　　聖人之上，又有一等神人也。」
22 參見葉朗，《中國美學史大綱》上冊（台北：滄浪，1986），頁
　　61。
23 參見鄔昆如，《倫理學》（台北：五南，1993），頁 314-315。
24 亞里斯多德從「善爲欲求之標的」及「善是一種功能的實現」
　　來界定善時，這是一種以果顯因的方式。如說「善是可欲的」，
　　其所指乃是因爲善的緣故而使得某事物成爲可欲的。就「善爲
　　萬物的標的」這點，多瑪斯在註解亞里斯多德《形上學》和《倫
　　理學》時，不但明白表示接受與贊同，更進一步強調善的超越
　　性（transcendentality）作爲論善的基礎。參見林天河，〈多瑪斯
　　論「善」：兼論善之不可定義性〉，《哲學與公共規範》（台北：
　　中央研究院中山人文社會科學研究所，1995），頁 203-205。

常理常識之意，可以爲一般人的直觀所把握；有時也用於「善言」、「善行」、「善道」、「善國」之稱說。整理如下：

1.「孟子對曰（滕文公問）：……苟爲善，後世子孫必有王者矣。……君如彼何哉？強爲善而已矣。」（《孟子・梁惠王下14》）

2.「孟子曰：子路，人告之有過則喜；禹，聞善言則拜。大舜有大焉：善與人同，舍己從人，樂取於人以爲善……取諸人以爲善，是與人爲善者也。故君子莫大乎與人爲善。」（《孟子・公孫丑上8》）

3.「王（齊王）由足用爲善。」（《孟子・公孫丑下12》）

4.「今滕……猶可以爲善國。」（《孟子・滕文公上1》）

5.「孟子曰：不亦善乎！」（《孟子・滕文公上2》）

6.「教人以善謂之忠」（《孟子・滕文公上2》）

7.「子欲子之王之善與？……王誰與爲不善？……王誰與爲善？」（《孟子・滕文公下6》）

8.「徒善不足以爲政，徒法不足以自行。」（《孟子・離婁上1》）

　　【《孟子・離婁上1》又云：「爲政不因先王之道，可謂智乎？是以惟仁者宜在高位，不仁而在高位，是播其惡於眾也。」此又「徒法不足以自行」之意。「惟仁者宜在高位」指出道德作爲君主之必要條件。然治天下不可僅有君主主體之「善」或客觀之「法」，必須兼具「善」與「法」的「仁心」（不忍人之心）與「仁政」（不忍人之政、先王之道）的結合方可。】

9.「陳善【善道】閉邪謂之敬」（《孟子・離婁上1》）

　　【朱熹集註曰：開陳善道，以禁閉君之邪心。】

10.「誠身有道，不明乎**善**，不誠其身矣。」（《孟子·離婁上
12》）

【即《大學》所謂「欲誠其意者先致其知」也。此「致
知」之內涵在於「善」之把握。】

11.「古者易子而教之，父子之間不責**善**。責**善**則離，離則不
祥莫大焉。」（《孟子·離婁上 18》）

12.「孟子曰：以**善**服人者，未有能服人者也；以**善**養人，然
後能服天下。」（《孟子·離婁下 16》）

【朱子註曰：服人者，欲以取勝於人。養人者，欲其
同歸於善。蓋心之公私小異，而人之嚮背頓殊。】

13.「禹惡旨酒，而好**善**言。」（《孟子·離婁下 20》）

14.「夫章子，子父責**善**而不相遇也。責**善**，朋友之道也；子
父責**善**，賊恩之大者。」（《孟子·離婁下 30》）

15.「仁義忠信，樂**善**不倦，此天爵也。」（《孟子·告子上 16》）

16.「曰：其（指樂正子）爲人也好**善**。好**善**足乎？曰：好**善**
優於天下，而況魯國乎？夫苟好**善**，則四海之內皆將輕千
里而來告之以**善**；夫苟不好**善**，則人將曰：『訑訑，予既
已知之矣。』」（《孟子·告子下 13》）

17.「孟子曰：古之賢王好**善**而忘勢。」（《孟子·盡心上 8》）

18.「窮則獨**善**其身，達則兼**善**天下。」（《孟子·盡心上 9》）

19.「民日遷**善**而不知爲之者。」（《孟子·盡心上 13》）

20.「孟子曰：舜……及其聞一**善**言，見一**善**行，若決江河，
沛然莫之能禦也。」（《孟子·盡心上 16》）

21.「孟子曰：雞鳴而起，孳孳爲**善**者，舜之徒也……欲知舜
與蹠之分，無他，利與**善**之間也。」（《孟子·盡心上 25》）

【舜之徒，即聖人之徒。朱熹集註引程子曰：善與利，
公私而已矣。】

22.「孟子曰：言近而指遠者，**善言**也；守約而施博者，**善道**
也。」（《孟子・盡心下32》）

第二種是指稱「善人」、「善士」之善，善用來指稱某種
具有德行之人：

23.「孟子謂萬章曰：一鄉之**善士**，斯友一鄉之**善士**。一國之
善士，斯友一國之**善士**。天下之**善士**，斯友天下之**善士**。
以友天下之**善士**爲未足，又尙論古之人。頌其詩，讀其書，
不知其人可乎，是以論其世也；是尙友也。」（《孟子・萬
章下8》）

24.「子謂薛居州**善士**也」（《孟子・滕文公下3》）

25.「孟子曰：是爲馮婦也。晉人有馮婦者，善搏虎，卒爲**善
士**。」（《孟子・盡心下23》）

26.「浩生不害問曰：樂正子何人也？孟子曰：**善人**也。信人
也。」（《孟子・盡心下25》）

第三種是指稱「善政」、「善教」之善，孟子旨在說明善
教優於善政：

27.「孟子曰：仁言不如仁聲之入人深也。**善政**不如**善教**之得
民也。**善政**民畏之，**善教**民愛之。**善政**得民財，**善教**得民
心。」（《孟子・盡心上14》）

28.「紂之去武丁未久也，其故家遺俗，流風**善政**，猶有存者。」
（《孟子・公孫丑上1》）

第四種是指「人性」之善，也是孟子思想的創發處：

《孟子・滕文公上》第1章記載「孟子道**性**善，言必稱

堯舜」，一語道破了孟子思想的旨趣；《孟子‧告子上》也多次記載孟子與時人告子論辯人性善惡的問題。告子與之前及當時一般人對性的認識相當，隨俗地以為「食色，性也」（《孟子‧告子上 4》）、「生之謂性」（《孟子‧告子上 3》），而主張：「人性之無分於善不善也，猶水之無分於東西也。」（《孟子‧告子上 2》），孟子則反駁曰：「人性之**善**也猶水之就下也。人無有不**善**，水無有不下。」（同上）在回應公都子問時，孟子曰：「乃若其情，則可以為**善**矣，乃所謂**善**也。若夫為不**善**，非才之罪也。……」（《孟子‧告子上 6》）

孔子關於「性」，從「性」「習」對舉的觀點，僅說過「性相近也，習相遠也」（《論語‧陽貨 2》），未針對性之善惡有過任何直接論斷。至於孔子論「性」的內涵，學者通常接受以「仁」釋「性」。孟子則從「反對生之謂性」、「從『異於禽獸者』的觀點言性」、「從『君子』的觀點言性」（性、命對揚）、「即心言性：即心善言性善」、「性的實質：四端之心」、「心、性、天通而為一：『天』為『性』之形上根源」等角度一一論證出其「性善」論，[25] 建立起以「性善」為核心命題的道德實踐論，也開啟後世儒者鑽研心性之風。

第四節　孔孟之「善」完成於「德行」

以上僅簡單地從《論語》、《孟子》二書的上下文脈解釋

---

25 參見潘小慧，〈孟子道德實踐的基本結構—性〉（台北：輔大哲學研究所，1990），《哲學論集》第 24 期，頁 45-60。

「善」的一般倫理意義，接著，筆者想進一步詮釋孔孟哲學
中「善」的特殊意義與價值。

「善」字，按照《說文解字》的解釋：「吉也，從誩羊，
此與義美同義。」段玉裁註曰：「羊，祥也，故此二字從羊。」
善、義、美三字都從羊字。《說文解字》：「義，己之威義也，
從我從羊。」「義」指我的美好之威儀表現。「善」指人互相
說吉祥美好的話。善、義二字都有美好的意思。26 王開府教
授又根據引文 2.「聞義不能徙，不善不能改」二句話，推論
出「孔子的善，可以說就是『義』」。27 按照孔子，許多德行
如仁、義、禮、智、勇、孝、悌、溫、良、恭、儉、讓、直、
謹、敬、愛、忠、莊、慈、友、寬、信、敏、惠、恕、公、
剛、毅……等等，都可說是一種善，因此說「義是一種善」
是可以的，但若要說「善可以說就是義」則是有問題的。這
就關係到孔子到底怎麼說善？文獻不足故也，但這會是好理
由嗎？對儒家哲學有深刻研究、十多年來力倡儒家「人性向
善論」28 的傅佩榮教授原創性地以為儒家的「善」可界說為
「人與人之間適當關係的實現」29 或「兩個主體之間適當關

---

26 參見王開府，《儒家倫理學析論》（台北：學生，1986），頁 136。
27 同上註，頁 134。
28 參見傅佩榮，〈人性向善論—對古典儒家的一種理解〉，《哲
   學與文化》月刊第 12 卷第 6 期（133）（台北，1985 年 6
   月），頁 25 至頁 30。
29 傅佩榮教授於多篇文章、書籍均提及此一定義，現列舉一二。
   如傅佩榮、林安梧，〈人性『善向』論與人性『向善』論—
   關於先秦儒家人性論的論辯〉，《鵝湖》月刊第 19 卷第
   2 期（218）（台北，1993 年 8 月），頁 22；傅佩榮，〈解析
   孔子的『善』概念〉，《哲學雜誌》第 23 期（台北：業強，

係之滿全」，[30] 傅教授以為「這個定義也正好可以涵蓋孝悌
忠信等《論語》裡的主要善行或美德」。[31] 沈清松教授以為
此一定義呈現了「善的人間性與互為主體性」，也以為「適
當關係之滿全……不必僅僅限於人際關係之內」。[32]《大學》
一書談「至善」，說道：「大學之道，在明明德，在親民，在
止於至善。」又說：「詩云：穆穆文王，於緝熙敬止。為人
君止於仁，為人臣止於敬，為人子止於孝，為人父止於慈，
與國人交止於信。」所謂「止」，朱熹集註曰：「止者，必至
於是而不遷之意。至善，則事理當然之極也」、「止者，所當
止之地，即至善之所在也」。由此可說，止於至善就個別情
況而言即是止於仁、敬、孝、慈、信。《大學》的至善顯然
是倫理道德意義之善，僅就此的確可說善是「人與人之間適
當關係的實現」。但是這樣的說法是否是儒家「善」意義的
唯一或最終？是否表達了儒家「善」意義所有可能的豐富
性？這是值得關注的問題。

　　根據亞里斯多德，善不屬於類概念而是超越範疇的，故
不可能有所謂的本質定義。[33] 廿世紀初英國哲學家謨爾（G.
E. Moore）所著《倫理學原理》（*Principia Ethica*）一書最終
也闡明：「善是什麼」（What is good）這個問題的答案是自明

1998 年 2 月），頁 184 至頁 185。
30 參見傅佩榮，《儒家哲學新論》（台北：業強，1993），頁 148，。
31 同註 14，頁 185。
32 參見沈清松，〈《儒家哲學新論》書評〉，《哲學雜誌》第 10 期（台
　　北：業強，1994），頁 201。這點正是筆者想在後文補充的。
33 同註 24，頁 212。雖然林文也指出「亞里斯多德在倫理學的探
　　討中，將善定義於欲求的標的、功能的實現」。

的，但不能被證明。有關「善自身」的命題，是直觀的知識。善是單純的、不可分析的概念，「善就是善」，「善不能被定義」。凡是用自然的對象或形上的性質與存在來定義「善」，謨爾都稱之爲「自然主義的謬誤」（Naturalistic Fallacy）。[34]這樣的基本立場是可接受的，「善」很難有所謂的「（最近）類」（the proximate genus）加上「種差」（specific difference）的「本質定義」，孔孟也從未對「善」概念有過嚴格的本質定義，頂多只是描述定義、指物定義或範例定義，像孟子言「可欲之謂善」便是。「善」的理解可以有幾個層次：**首先，是作爲本體論或存有學之善**，「善觀念」或「善自身」或「至善」，「善」即等同於存有，存有即善。**其次，才是倫理道德意義之善（倫理學之善）**，也就是儒家哲學強調之善。

　　孔孟儒學對「善」具有某種常理常識之意，可以爲一般人的共感、共同直觀所把握；「善」用於說明個體人格（如「善人」、「善士」），說明群體國格（如「善國」），說明言論（如「善言」），說明人性行爲（如「善行」），說明政治（如「善政」），說明教育（如「善教」），說明道（如「善道」、「善人之道」）。儒學藉由人性之善或人性向善的肯定彰顯出「善」在內在人性的普遍性與共通性。此共通普遍之人性只是如「至善種子」或「仁性種子」般（如孟子學說中的四端之心），作爲倫理實踐「行善」的基礎；並非「一受成侀」、「不受損益」之已固定完成之人性，而是天命於穆不已，人性亦恆久

---

34 參見蔡坤鴻譯，謨爾(G. E. Moore)著，《倫理學原理》（台北：聯經，1980）。

不息，故人性「未成可成」、「已成可革」，[35] 人在生命歷程仍須不斷地「擇善固執」以至於「至善」的最高境地。

儒學並藉由人與諸存有之間適當關係的實現或滿全（此即「德行」）來表現善。人與諸存有包括：人與自己、人與他人、人與物、人與自然、人與神聖（天或上帝）。人從來不是孤立的存有，個人不是，人類這個類群體也不是；人不僅與自己、他人之類的「人之存有」有關係，人也與「非人存有」有密切關係。非人存有包括物（物質物、無生物，甚至包括人類所創造出的諸物質與精神文明）、自然（植物、動物以及萬物所賴以爲生的大地），還包括人類本性所自然嚮往的超越面向--亦即神聖的存有（天、梵天、道、神、上帝或造物主）。[36]《大學》裡提到的所謂「格物、致知、誠意、正心、修身、齊家、治國及平天下」八條目，以及《中庸》第 22 章的一段文字：「唯天下至誠，爲能盡其性；能盡其性，則能盡人之性；能盡人之性，則能盡物之性；能盡物之性，則可以贊天地之化育；可以贊天地之化育，則可以與天地參矣」等，都間接指出原始儒家從內而外，由己而他/她/牠/它/祂，自我不斷擴展完成的歷程。也因此，儒家的倫理關係涉及人與自己（慎獨）、人與他人（五倫、仁民）、人與物（愛物）、人與自然（彊本而節用、養備而動時，上下與天地同流）、人與神聖（盡心知性知天、存心養性事天、天人合德）

---

35 參見王船山對性的看法。如《讀四書大全說》、《思問錄・內篇》、《尚書引義・卷三》等著作篇章。

36 參見潘小慧，〈邁向整全的人：儒家的人觀〉，《應用心理研究》第九期《人的意義》（台北：五南，2001 年 3 月 15 日），頁 125。

的各種倫常關係，週延且立體觀照到人文、自然、神聖等各
個面向。[37]「善」的意義不僅適用於「人與人之間適當關係
的實現」或「兩個主體之間適當關係之滿全」，也應適用於
人與其他「非人存有」，尤其適用於「人與神聖」的關係上，
也就是儒家的「天人合德」的崇高理想上。[38] 從西方語源來
看，「德行」（virtue）一詞來自希臘文的 *ἀρετή*（*arete*），本義
是「卓越」（excellence），泛指事物美善的卓越（the excellence
of perfection of a thing）；與「惡」或「惡行」（vice）作為「事
物美善的闕如」（a defect or absence of perfection due to a
thing）正好對反。在某個意含上，「德行」即「善」，或「善」
即「德行」，而與「惡」對反。人性的重要面向是要求發展
（橫向、水平的向度）與卓越（縱向、垂直的向度），這說
明了人還是向著神性和超理性的世界開放的存有者，或者說
人（道）是向著天（道）或超越界開放的存有者。由於肯定
人與超越的關係，因此人的倫理生活不僅只能找到內在於人
性的基礎（性善），也能找到超越相對人性的絕對和不變的
根源（「善」的根源）。「善」的意義由於兼攝人與超越的關
係，而更完整地表達出儒家哲學的深度與廣度。「德行」
（virtue）一詞的希臘字源雖含有「本性之卓越」的意味，然
儒學「整全的人」的人觀之人是在社會中、在歷史中、在群
體中、在關係中的人，即使是《大學》、《中庸》所談的「慎
獨」也可詮釋成「人與己」適當關係的表現。因此，作為德

---

37 同上註，頁 127。
38 同註 30，頁 121。傅佩榮教授以為「天是儒家人性論的起點與
　　終點」，且以為「天人合德論」是「儒家人性論的最高理想」。

行意含之一的「本性之卓越」可以含包於「**人與諸存有之間適當關係的實現或滿全**」意義之內而不衝突。孔孟的「善」，就其人間性格，適當地說，除了人性是善或人性向善的肯定外，還是在諸「德行」中完成與表現的。於是，為人子在「孝」，為人父在「慈」（《大學》），人於物在「愛」（《孟子‧盡心上　45》）[39]……的諸德行中揭露了「善」，完成了「善」，滿全了「善」。

第五節　結　論

儒家在價值學中，以倫理價值為首；在倫理學裡，又呈現「以德行為基」（virtue-based ethics）[40] 的特有思考風格與思考重點，使得本文詮釋「善」時，自然地將之歸於「德行」的實踐與完成，以至於儒家「天人合德」的理想。

「善」的意義絕對是豐富的，「善」的價值也是毋庸置疑的。若將「善」的意義與價值的焦點置於倫理之善，孔孟儒家與其他中西哲學家一樣，都以「幸福人生」、「美善人生」或「善生活」（the good life）的獲致當成生活的共同目標。

---

39 我們看《孟子‧梁惠王上 3》提到孟子回答梁惠王時說到：「不違農時，穀不可勝食也；數罟不入洿池，魚鱉不可勝食也；斧斤以時入山林，材木不可勝用也。」這裡涉及人對待自然與物的方式，難道不是一種人與非人存有之間的倫理關係？孟子言「仁民而愛物」（《孟子‧盡心上 45》）、宋儒張載言「民吾同胞，物吾與也」（〈西銘〉），難道不也是一種人與物的存有之間的倫理關係？

40 儒家倫理學可說是一種「德行倫理學」（Virtue Ethics）。

如何達致善生活？善生活的圖像大概是什麼樣的面貌？我
們依稀可依據上述對「善」的分析而約略鋪陳。早在孔孟時
代，人們對「善」的使用與意義就有相當程度的共識。「善」
最初步的意含即「可欲之謂善」，「可欲」的對象或事物很多，
可以是道德主體的動機（善意志，如「乍見孺子將入於井」
所產生的「怵惕惻隱之心」便是），可以是內在本性（善性
或性善），善意志或善性已然是善，只是尚未成全。「可欲」
的對象也可以是品格、言語、行為，「善」也可擴至稱說道
德主體（人）、政治、教育、國家，甚至道。還有「美」與
「善」也在人格美中、在藝術作品（如音樂、韶樂）中，獲
得統一與和諧。這種種善，就構成儒家善生活的圖像：在具
有仁心善政和善教的善國中，多是性善且品格高尚的善人，
他（她）們耳聽盡善盡美的音樂，口說善言，身做善事及行
善道，上下與天地同流，與天地合德，而這一切皆善！

參考書目

王弘五譯，J. M. Bochenski 原著，《哲學講話》，台北：鵝湖，
　　1977。
王開府，《儒家倫理學析論》，台北：學生，1986。
司馬遷，《史記》卷七十四〈孟子荀卿列傳第十四〉。
宋・朱熹集註，蔣伯潛廣解，《四書讀本--論語》，台北：啓
　　明書局。
宋・朱熹集註，蔣伯潛廣解，《四書讀本--孟子》，台北：啓
　　明書局。

李澤厚、劉綱紀主編，《中國美學史》第一卷上冊，台北：
　　谷風。

沈清松，〈《儒家哲學新論》書評〉，《哲學雜誌》第 10 期，
　　台北：業強，1994，頁 198-203。

林天河，（1995）：〈多瑪斯論「善」：兼論善之不可定義性〉。
　　《哲學與公共規範》（錢永祥、戴華主編），台北：中央
　　研究院中山人文社會科學研究所，1995。

高思謙譯，亞里斯多德原著，《亞里斯多德宜高邁倫理學》，
　　台北：台灣商務，1979。

葉朗，《中國美學史大綱》上冊，台北：滄浪，1986。

傅佩榮，〈人性向善論—對古典儒家的一種理解〉，《哲學與文
　　化》月刊（台北），12 卷 6 期（133），1986，頁 25-30。

傅佩榮、林安梧，〈人性『善向』論與人性『向善』論--關於
　　先秦儒家人性論的論辯〉，《鵝湖》月刊（台北），19 卷
　　2 期（218），1993，頁 22-37。

傅佩榮，《儒家哲學新論》，台北：業強，1993。

傅佩榮，〈解析孔子的『善』概念〉，《哲學雜誌》（台北）23
　　期，1998，頁 172-187。

鄔昆如，《倫理學》，台北：五南，1993。

蔡坤鴻譯，G. E. Moore 原著，《倫理學原理》，台北：聯經，
　　1980。

潘小慧，〈孟子道德實踐的基本結構--性〉，《哲學論集》（台
　　北），24 期，1990，頁 45-60。

潘小慧，〈德行倫理學在中西：以儒家和多瑪斯哲學為例〉，
　　刊載於《第三個千禧年哲學的展望：基督宗教哲學與中

華文化的交談會議論文集》(台北：輔仁大學出版社，2002 年 10 月)，頁 269- 289。

潘小慧，〈德行倫理學及其現代意義：以儒家倫理爲核心展開〉，北京人民大學主辦之「海峽兩岸道德建設及中西倫理比較研討會」會議宣讀之論文，2001 年 12 月，頁 1-12。

潘小慧，〈邁向整全的人：儒家的人觀〉，《應用心理研究》，台北：五南，第 9 期《人的意義》(尤煌傑、潘小慧主編)，2001，頁 115-135。

潘小慧，〈多瑪斯論德行〉，《輔仁學誌—人文藝術之部》第 28 期(台北：輔仁大學文學院、藝術學院)，2001 年 7 月，頁 91-107。

蔣致遠主編，《論語引得》，台北：宗青，1989。

蔣致遠主編，《孟子引得》，台北：宗青，1989。

Aristotle, trans. by W. D. Ross, *Ethica Nicomachea.* edited. by Richard McKeon, *The Basic Works of Aristotle.* 台北：馬陵，1975。

Aquinas, St. Thomas. translated by Fathers of the English Dominican Province. *Summa Theologica*, I, I-II. New York: Benziger Brothers, 1946.

Frankena ,W. K. *Ethics.* New Jersey：Prentice-Hall , INC., 1973.

Kovesi, Julius. *Moral Notions.* Lodon Routledge＆Kegan Paul, 1967.

Maritain, Jacques. translated by E. I. Watkin. *An Introduction to Philosophy.* Taipei: yeh-yeh, 1985.

第四章　論生育倫理與國家政策

——以中國大陸「一胎化」政策為例*

- ·　緒　論
- ·　中國大陸的人口政策現況與國際社會
- ·　一種生育倫理：人口政策的倫理思考
- ·　結　論

---

* 本章的基本架構和內容主要完成於 1998 年 9 月，本人得到當時
輔仁大學中西文化研究中心（現爲輔仁大學研究發展處學術研究
組）的補助而作之一年專題研究計劃成果報告，頁 1-62。後整
理部份內容，以〈人口政策的倫理思考—以中國大陸「一胎化」
政策爲例〉爲題，發表於《哲學與文化月刊》第 26 卷第 3 期（298），
1999 年 3 月，頁 249-264。由於時隔數年，中國大陸的人口政策
因應現實有了些許的改變，今爲此書之出版，文章也做了部份之
更動與補充，特此說明。

第一節　緒　論

一、

　　本章主標題題爲「論生育倫理與國家政策」，顯示本文是關於「應用倫理學」（applied ethics）中之「生命倫理學」（bioethics）中之「生育倫理學」（birth ethics）一範疇。

二、

　　研究道德的方式，大抵有兩種：一爲非規範的方式，即只描述和分析道德，並不採取特定的道德立場；「描述倫理學」（Descriptive Ethics）及「後設倫理學」（Meta-ethics，或稱爲「批判倫理學」Critical Ethics 或「分析倫理學」Analytical Ethics）屬之。一爲規範的方式，即採取一定的道德立場；「（一般）規範倫理學」（Normative Ethics）及「應用倫理學」（Applied Ethics）屬之。於是對於道德的探究與思考可分四種：（一）描述倫理學：只對某一類人或某一族群、團體持有何種道德觀及道德行爲進行現象描述，並不作價值判斷以規範引導。嚴格說來，這只是建立倫理學的某些知識基礎，並不能劃歸爲（哲學）倫理學的範疇。（二）後設倫理學：所提問與解答的是一些邏輯的、知識論的或語意學上的問題，如探究「對」、「好」、「義務」、「德行」等主要術語之意

義，及道德推理的結構或邏輯等。（三）規範倫理學：試圖從哲學上形成和論證調節道德生活的基本道德原則和德行；所處理的問題是指出那一類的倫理命題是真或有效，並進一步說明理由解答「為什麼」。（四）應用倫理學：一般規範倫理學中所提出的原則通常還要應用到諸如墮胎、普遍性飢餓以及包括人類受試者在內的科學實驗等具體的道德問題上。現今頗受重視的專業倫理亦屬於此範圍。

　　「生育倫理學」是從「生命倫理學」發展出來的。「生命倫理學」這個名稱雖然是於 1970 年才在美國學術界開始使用，卻是一門發展十分迅速的應用倫理學研究。二、三十年來，生命倫理學已經越出了醫學、倫理學和法學等學術界，引起了新聞記者，公眾、決策者和立法者的興趣和注意。與其他學術活動不同，生命倫理學在許多國家和國際上已經被體制化。在許多國家建立了機構審查委員會（IRB）或醫院倫理委員會（HEC），在一些國家成立了總統生命倫理委員會，歐洲聯盟建立了它自己的生命倫理委員會，聯合國教科文組織在 1994 年成立了國際生命倫理委員會。1995 年 4 月 1 日在西班牙召開的世界議會聯盟通過題為「生命倫理學及其對世界範圍內人權保護的含義」的決議。[1]

三、

1　參見邱仁宗，〈生命倫理在亞洲：有什麼特點？〉，應用倫理學區域會議，台北，國立中央大學文學院哲學研究所，1997 年 6 月 5、6 日。

　　生命是神聖的。誰有權決定胎兒的出生？誰有權決定要
生或不生？誰有權決定一對夫婦或一個家庭該有幾個子
女？是上帝、教會？或父母、祖父母？或女人（母親）？或
國家、城邦、社會？人口政策可否提升至國家政策的序階，
甚至納入憲法條文之中，以法令強制執行？當生育與所謂國
家利益衝突時，如何決定生育或不生育？……以上均涉及一
個最根本的生命倫理的問題，也就是生育權及生命權歸屬的
基源問題。中國大陸的人口政策──「一胎化」政策--就是
現今由公權力或政府介入生育問題的最極至、最極端的例
子。本章副標題題為「以中國大陸『一胎化』政策為例」即
旨在探討中共政府的如此作為是否符合倫理或道德？法律
應是最基本的道德，這樣的律法還能是有效的嗎？

四、

　　據筆者蒐集資料的過程當中，發現絕大多數的大陸學者
對中國大陸的一胎化政策採取的觀點或切入的角度均是非
倫理的，多將其視為單純的「人口學」（demography）問題，
而人口政策也多與國家的各項發展，如經濟、政治、社會發
展密切相關。中共前領導人鄧小平於生前即說過：「中國的
一切麻煩就在於人口太多！」既將一切麻煩的根源歸諸於人
口負擔過重，因此自七十年代以來，中國大陸在人口政策上
即採取控制政策，開始實驗計劃生育之政策，更在 1979 年
後，嚴格規定每對夫婦只能生育一個子女，這就是「一胎化

政策」，或稱「獨生子女政策」。[2] 如果一胎化政策真如學者
所言，僅是一個人口學問題，而非關倫理，那的確好解決；
但事實並不然。只要是經理智認識和意志同意的「人性行為」
（human acts）就是關乎倫理道德的事，更何況關涉生育及
生命的人口控制呢？！因此，筆者刻意採取倫理（學）進路，
嘗試藉由客觀事實的資料報導以及哲學倫理的論證，突顯出
此問題的倫理層面及倫理意含，不願任何的政治、經濟及社
會考量合理化此人口控制政策，並模糊了或掩蓋了倫理上的
諸多質疑。

　　雖說絕大多數的大陸學者對大陸一胎化政策採非倫理
的進路，仍有少數幾人至少明白地意識到這似乎也是個倫理
課題。筆者十分雀躍地在 1997 年 6 月由國立中央大學哲學
研究所所主辦的「應用倫理學區域會議」會議論文中發現分
別由邱仁宗及唐熱風二位大陸學者所撰寫的〈生命倫理學在
亞洲：有什麼特點？〉及〈中國的人口政策：好的選擇與對
的選擇〉二篇論文。邱文僅間接與本文有關，唐文的根本論
點則與筆者十分迥異，筆者將於本章詳加論述。

五、

　　中國大陸的官員與多數學者基本上認定「人口問題的本
質是發展問題」，就連台灣也有學者為文指出中國大陸社會
的最大危機是人口爆炸，甚至還鞭策中共決策當局採取「雷

---

2 參見若林敬子著，周建明譯，《中國人口問題》（北京：中國人民
　大學出版社，1994 年 10 月初版）。

厲風行的遏抑政策」。[3] 筆者並非人口學專家,但憑一般人的
常識均可理解到人口問題的確關係社會、經濟發展。筆者十
分尊重人口學作為一門科學的專業,但仍必須從作為科學之
科學的哲學更宏觀的角度指出人口問題的「本質」並非發展
問題。「發展」為人類社會固然重要,「進步」更應為人類所
永恆追求。發展,可以是人類的橫向進化,這似乎表現在所
有的人類物理面向上,包括生物的、物理的、經濟的、技術
的等所謂各現代性的面向上。至於進步,可說是人的縱向進
化。發展的目的與進步的目的有極大不同。如果發展是表達
我們在物理形式的成就的一個方式,而且如果它是一個確保
物理生活的最佳方式,那麼進步對我們的生活來說具有更高
的意義,如人的尊嚴、人類的道德感以及超越。[4] 發展並不
包含進步,然而,進步已包含發展。我們以前也常爭辯經濟
發展與環境保護孰重孰輕,而一個開發中的國家經常視經濟
發展為優先考量,因而犧牲了環保,在經濟成長的多年之後
再回首過往的抉擇,難道不會帶有些許遺憾嗎?

　　所謂「政策」是一套正式化的手續,被設計用來指導行
為。其目的在維持行為的協調性或改變行為以便達到某一具
體目標。人口政策代表一個達到人口變遷上某一特殊形態的
策略。這個策略也許僅包括一個部分或某個單一目標,例如
未來五年降低出生率百分之十;或政策是多管道的,例如,

---

3 張保民,〈人口爆炸－中國大陸社會的最大危機〉,收於《中國大
　陸研究》(第 38 卷第 2 期,1995 年 2 月),頁 54-66。
4 陳文團,〈馬里旦的整全人文主義〉,載於《哲學與文化》月刊(第
　25 卷第 4 期,1998 年 4 月),頁 315- 316。

企圖用理性化或現代化的方式規劃生育行為。這兩個例子中的目標，只有當某些跡象顯示如果沒有一個付諸施行的政策，就無法達到目標的情況之下，才需要一個政策。[5]

在這裡，我們可以看出政策並非絕對的，它是相應於實際需求而擬訂的。既然如此，我們何不制定一個不違人性、不違倫理道德的一較合情合理的人口政策呢？毛澤東之後的大陸人口政策，一百八十度的轉變，從反馬爾薩斯（Anti-Malthus）到擁護馬爾薩斯。按李文朗教授的說法：

> 人口政策的主旨，確實是理性化多了；可惜的是，人口政策的推行仍然脫離不了封建的愚民手法。對岸的台灣節育政策是採取溫和勸導的『家庭計劃』，政府只提供節育的方便，經過了整個社會結構的改變，人民的思想也自自然然的傾向小家庭制度，自動的節育。鄧小平的人口政策則是完全的干預主義。政府決定每個老百姓要生幾個孩子。生子生女，不是個人權利，應由國家決定，這還是共產思想。[6]

眾所周知，1949 年以後，中共建立起來的集權政治機制，在社會主義化過程中，這機制一次次地得到強化。正是這一機制，使中共當局的人口生育政策得以強控性地貫徹和實施；也正是這一機制，演化了組織上一體化分層體制結構（從中央到地方，從城市到農村，從上層到基層，從城鎮到鄉村），大陸建立了龐大的蛛網式計劃生育和宣傳網絡，它

---

5 John R. Weeks 著，涂肇慶譯，《人口學》（台北：桂冠，1990），頁 443-444。

6 李文朗，《台灣人口與社會發展》（台北：東大，1992），頁 211。

在基本滿足廣大育齡婦女對節育知識和手段需求的同時，也發動了計劃生育輿論和宣傳的強大攻勢，從而保證了人口政策的有效實行。尤其，政治體制下濃重的意識形態，更爲保證人口政策的有效實行起了推波助瀾的作用。長期以來，在「政治掛帥」和「無產階級專政」的前提下，作爲中共號召實施的人口政策和其他政策一樣迅速有效。此外，強有力的生育控制措施也爲夫婦的行爲創造了一個特殊的決策環境。在這個環境中，每對夫婦不能不權衡生育決策給他們帶來的得失，從而使生育行爲普遍成爲人們有意識的選擇，儘管這種選擇常常是非自願的。在這一特殊政策環境中，不同生育選擇關聯著不同程度的正向或負向刺激措施。這些刺激措施的強度，已足以令大多數夫婦認識到，少生少育是不得不爲的選擇。7

六、

　　基於以上的認知，筆者作爲一個哲學教師及一個哲學研究者，願從哲學倫理學的角度切入，分析此一國家政策與生育倫理的關聯，並指出一胎化人口政策的道德性或倫理性如何，以及一個合理的人口政策的正確思考方向應是如何。在大陸，大量過於敏感的、危及到人口政策實施的人口問題，至今仍是研究的禁區。筆者從哲學倫理學的觀點對大陸人口政策的諸多批判，若從大陸學界看來或許是大膽的，但筆者

---

7 參見程超澤，《中國大陸人口增長的多重危機》（台北：時報，1995年10月20日初版1刷），頁311-312。

依據的是自身的正直理性，論述若有偏頗或不妥，均有待前輩時賢不吝指教！

　　本章的本論分成二大部分，第一部分是「中國大陸的人口政策現況與國際社會」，任何一個準備邁向現代化的國家或已經是現代化的國家都不可能自外於國際社會，一個重要的國家政策也不可能無視於國際社會的普遍觀點或原則性看法。於是，本部分又分成八點闡明：

　　——國際社會對人口與發展的一般性看法

　　——中國大陸對人口與發展問題的看法

　　——國際社會的「計劃生育」觀

　　——中國大陸的計劃生育與聯合國人口會議中的計劃生育概念之間的區別

　　——中共對聯合國人口文件的意見及批評

　　——中共國家社會經濟計劃和人口計劃

　　——中國大陸的人口法律制度

　　——中國大陸一胎化政策帶來的難題

　　本論的第二部分是「一種生育倫理：人口政策的倫理思考」。基於第一部分對中國大陸人口政策現況之瞭解，加之唐熱風等先生對大陸人口政策之合理化解釋，筆者願從幾個與此相關的角度切入，重新闡明人口政策的正確倫理思考方向。於是，本部分又分為三點說明：

　　——對唐熱風〈中國的人口政策：好的選擇與對的選擇〉一文的回應

　　——墮胎是否是個道德問題？

　　——生育權的意義及歸屬

　　最後，筆者將在結論中誠懇地呼籲中國大陸在思索人口問題時，除了強調自身的發展外，也應當加入人性人道的考慮，使一個人口政策不僅對國家人民有利，更是合情合理的。

第二節　中國大陸的人口政策現況與國際社會

一、國際社會對人口與發展問題的一般性看法

　　自 17 世紀中葉以來，世界人口的快速增長引起經濟學家和其他學者們的注意。但是，人口作為一個國際性問題引起廣泛關注，則是 20 世紀的事情。最早的國際人口科學研討會是在美國的山額夫人（Margaret Sanger）倡議下，於 1927 年在日內瓦召開的。第二次世界大戰以前，全球共召開過四次國際人口會議。1945 年聯合國成立，次年隸屬於經濟及社會理事會的人口委員會隨之誕生。1967 年聯合國秘書處設立了人口信託基金（1969 年改稱人口活動基金，UNFPA）。在 1974 年以前，聯合國共召開了兩次世界人口會議，參加者主要是各國的學者、專家，會議的性質是技術性的。

　　1974 年聯合國在羅馬尼亞的布加勒斯特舉行世界人口會議。與以前相比，這次會議是一有關世界人口問題的政治性會議，共有 136 個國家派政府代表團參加。此後，聯合國又召開過兩次類似的政治性人口會議：一次是 1984 年在墨西哥城舉行的國際人口會議，一次是 1994 年 9 月在埃及開

羅召開的國際人口與發展會議。

雖然，聯合國人口會議通過的文件對聯合國成員國不具有強制性實施的效力，並明確指出：「人口政策的制定和執行是每一個國家的主權權利。這種權利的行使不受外來干涉，……」（行動計劃，第 14 段）。儘管如此，文件中所確定的原則對全球人口活動仍產生了深遠的影響，而且這種影響也反映在國際政治、經濟關係之中。[8] 尤其，1994 年開羅國際人口與發展會議明確提出：一切人口與發展活動都應以人（human beings）而不是人的數量（human numbers）爲中心，以人的全面發展爲中心。1995 年的社發大會和 9 月在北京召開的世界婦女大會也都體現著「以人的全面發展爲中心」的精神。

「以人的全面發展爲中心」作爲可持續發展的最終目標，是國際社會在經過幾十年的對人口、經濟、資源與環境的關係的認識、爭論中形成的人口與發展的新視野和新觀念。[9]

二、中國大陸對人口與發展問題的看法

在 1994 年開羅國際人口與發展會議上，中共國務委員

8 楊勝萬，陶意傳，〈對聯合國文件中有關計劃生育概念的分析與評價〉，載於《人口研究》（第 20 卷第 2 期，1996 年 3 月），頁16。
9 人口研究編輯部，〈對一種新的發展觀－以人的全面發展爲中心的討論〉，載於《人口研究》（第 20 卷第 2 期，1996 年 3 月），頁 34。

彭佩云主任代表中國政府在一般性辯論中發言，全面闡述了中國對人口與發展問題的觀點：「人口問題從本質上講是一個發展問題。只有堅持發展生產力，促進經濟和社會的全面發展，並通過文化教育、衛生保健、提高婦女地位和環境保護等綜合措施，才能從根本上解決人口問題。各國根據本國國情制定人口政策和方案，並將其作為國家經濟社會持續發展戰略的組成部分，不但可以加速經濟社會發展，消除貧困，而且可以提高人民生活水平，改善人民生活質量。

實施人口與計劃生育方案，減緩人口增長的速度，是解決許多發展中國家人口問題的有效措施。凡是人口增長速度已經妨礙經濟社會發展的國家，制定和實施適當的控制人口增長過快的政策的和人口目標，將有利於經濟和社會的發展，有利於更好地保護本國人民的生存權和發展權。政府應當努力向所有需要計劃生育服務的人，提供可接受、可獲得並能負擔得起的高質量的計劃生育服務，幫助所有夫婦和個人自由地、負責地作出有關生育的決定。推行計劃生育應反對任何形式的強迫命令。

各國的人口狀況、經濟發展水平、文化背景、歷史傳統各不相同，因此不可能按一個統一的模式解決各國所面臨的人口問題。各國根據本國的人口狀況和具體國情，自主地確定其人口政策和人口目標，以及實現這一目標的方案和措施，是各國的主權，應當受到充分的尊重。

提高婦女地位，改善婦女受教育的條件，促進婦女參加政治與經濟發展，保障婦女權益，實現男女平等，對人口與發展方案獲得成功至關重要。應當努力為婦女提供生殖健康

和計劃生育的信息、教育、諮詢等服務。男子應更多地參與並承擔起計劃生育的責任。

　　中國人口多，耕地少，底子薄，人均資源不足，經濟社會發展水平極不平衡。1993 年底，中國大陸總人口已達到11.85 億，而且每年淨增人口在 1400 萬左右。中國如果不減緩人口增長的速度，不但有礙於經濟社會發展和公民各項權利的實現，甚至中華民族的生存也會受到威脅。試想，如果中國人口盲目增長，資源破壞，環境惡化，近十二億人口的溫飽問題得不到解決，難民潮在全世界氾濫，將會產生什麼樣的後果？正是出於對中華民族現在和未來的利益的高度責任感，也是為了世界的穩定和繁榮，中國政府堅持在實行改革開放，大力發展經濟的同時，將計劃生育和保護環境確定為兩項基本國策，並納入國民經濟和社會發展的總體規劃。」[10]

　　由以上的發言，我們不難整理出幾個要點：（一）中共強調人口問題本質上是個發展問題。維護國家人民的生存權和發展權是首要的。（二）強調每個國家都有自主的主權，根據本國的人口狀況和具體國情制定人口政策。（三）中國人口多，耕地少，底子薄，人均資源不足，經濟社會發展水平極不平衡。因此將計劃生育確定為基本國策，並納入國民經濟和社會發展的總體規劃。這暗示著，中共的人口政策是合情、合理、合法的。

---

10 陳勝利，〈人口與發展是全球關注的焦點－開羅國際人口與發展會議一般性辯論側記〉，載於《人口研究》（第 18 卷第 6 期，1994年 11 月），頁 41。

三、國際社會的「計劃生育」觀

計劃生育是從英語"Family Planning"翻譯過來的，亦有譯為家庭計劃或家庭生育計劃。儘管計劃生育一詞最早出現在本世紀 30 年代的英國，但計劃生育的淵源卻能追溯更遠，它是從馬爾薩斯的節制生育演化而來的。美國的山額夫人最早在世界上宣傳計劃生育，並於本世紀初開辦了世界上第一個節制生育診所，成為現代計劃生育運動的創始人。印度 1952 年開始推行計劃生育，是世界上第一個官方推行計劃生育的國家。

在聯合國文件中，第一次出現計劃生育概念是 1966 年聯合國大會通過的《關於人口增長和經濟發展的決議》。決議中寫到「每個家庭有權自由決定家庭規模」。1968 年 5 月聯合國在伊朗德黑蘭召開了世界人權會議，會議通過的《德黑蘭宣言》第 16 條指出：「父母享有自由負責地決定子女人數及其出生間隔的基本人權。」這是聯合國文件中第一次出現的較完整的計劃生育定義，也是第一次將計劃生育確認為一項基本人權。1969 年 12 月聯合國大會通過的《社會進步和發展宣言》，重申了《德黑蘭宣言》中的計劃生育概念，並且提出應為計劃生育提供手段和方法。

1974 年聯合國在布加勒斯特召開了世界人口會議。這次會議通過的《世界人口行動計劃》（World Population Plan of Action）(以下簡稱《行動計劃》)確定了國際人口活動的各種準則，並被視為聯合國開展國際人口活動和指導各國人口活動的憲章。《行動計劃》所確定的許多原則對以後的國際人

口活動影響很大，它們不僅反映在有關的聯合國會議文件中，而且也被許多國家吸收到人口法律和政策中。《行動計劃》在聯合國以往有關文件的基礎上進一步闡述了計劃生育的概念，其 14（F）款寫道：

> 所有夫婦和個人都享有自由負責地決定其生育子女的數量和間隔以及為此目的而獲得信息、教育與方法的基本權利；夫婦和個人在行使這種權利的責任時，應考慮他們現有子女和未來子女的需要以及他們對社會的責任。

這一表述實際上是聯合國關於計劃生育的經典定義，其後的聯合國文件都無出其左右。這個定義的基本點是；（1）把享有計劃生育的權利主體從「父母」擴展到「夫婦和個人」；（2）把實現計劃生育權利所必須的手段和方法看成是計劃生育權利的一個組成部分；（3）界定了「負責」的含義，即：「負責」是指生育者應考慮自己「現有子女和未來子女的需要以及他們對社會的責任。」

1984 年聯合國在墨西哥城召開了國際人口與發展會議，會議通過了《墨西哥城宣言》及《進一步執行《世界人口活動計劃》的 88 條建議》（以下簡稱《行動建議》。）會議肯定和再次擴充了布加勒斯特會議《世界人口行動計劃》中所確定的計劃生育概念和原則。與布加勒斯特相比，墨西哥會議的計劃生育定義從原來的「自由」、「負責」演變成了「自由」、「負責」、和「不受任何強制」三個方面，突出了計劃生育的自願性。

1994 年聯合國在開羅召開了國際人口與發展會議，會議

通過了《國際人口與發展會議行動綱領》（以下簡稱《行動綱領》）。會議對計劃生育的定義與前次會議相比，沒有什麼新的變化，只是又進一步強調了計劃生育的自願性，反對「採取任何形式的強迫」，主張「人人享有在沒有歧視、強迫和暴力的情況下作出有關生育決定的權利」（行動綱領，7.3），並把計劃生育納入「生殖權利」的範疇。《行動綱領》的另一個特點是充分考慮了人口與發展、環境之間的關係。但是，《行動綱領》在論述發展與計劃生育關係時把計劃生育作為一項基本人權絕對化，指出發展權也是基本人權的一個組成部分，「發展能促進所有人權的享受，但缺乏發展並不得被援引作為限制國際公認的人權的理由」（行動綱領，第 2 章原則 3）。《行動綱領》草案關於發展權的論述只引用了《里約熱內盧環境與發展宣言》原則 3，即：「發展的權利必須實現，以便能公平滿足今世後代在發展與環境方面的需要。」「缺乏發展並不得被援引作為限制國際公認的人權的理由。」一句是會議在文件最後文本通過時加進去的。顯然，會議通過的《行動綱領》與《里約宣言》相比，在發展權上的看法是有區別的。11

　　根據人口學，計劃生育是國際上最受歡迎的限制生育的人口政策。它提供每個婦女技術能力，使她們能生育所要的數量。計劃生育的基本假設是：世界上多數婦女擁有的子女數，多於她們真正需要的數量，這是因為忽略或缺乏有效的避孕方法，基於這個假設，才制定限制生育的政策。進而，

---

11 同註 8，頁 17-18。

家庭計劃有助於加強婦女達到所要的子女數量的能力，但計劃生育很少能影響夫妻要子女的願望。逐漸被世人接受的是，一個健全的計劃生育必須在一個變遷的社會環境中，鼓勵夫妻少生或勸阻他們以避免擁有大家庭。在缺乏小家庭的欲望下，計劃生育不會降低生育率，因此若要使計劃生育產生效果，人口政策不能僅侷限於計劃生育而已。[12]

四、中國大陸的計劃生育與聯合國人口會議中的計劃生育概念之間的區別

僅從語辭上看，中國大陸的計劃生育與國際上的計劃生育完全相同。實際上，它們之間有很大的差別。這些差別表現在：

（一）中國大陸在強調計劃生育是公民權利的同時，也強調它是公民的一項義務。中國大陸的憲法規定了公民有實行計劃生育的權利和義務。這一義務性規定不僅使中國大陸計劃生育有別於國際上的計劃生育，有別於西方的人權觀點，而且也是中國大陸的制定國家計劃生育政策乃至國家立法、制定地方法規的依據。

（二）在中國大陸的計劃生育中，規定了生育子女數量和間隔。中國大陸的計劃生育政策是提倡一對夫婦生育一個孩子，對有實際困難的夫婦通過計劃安排間隔幾年後可以生育第二個孩子。

---

12 同註 5。

（三）中國大陸計劃生育的目的不是實現夫婦的生育
　　　意願。計劃生育政策中有關夫婦生育子女數量
　　　的規定，對於城市或農村的大多數家庭來說，
　　　基本上都低於夫婦的理想子女規模。中國大陸
　　　還自以為他們的計劃生育是宏觀人口發展計
　　　劃與微觀家庭生育計劃的統一，既反映了國家
　　　的總體利益，又反映夫婦的利益。在計劃生育
　　　中強調國家指導與群眾自願相結合，反對強迫
　　　命令，也反對放任自流。13

當然，中共的這種說法是令人質疑的。

五、中共對聯合國人口文件的意見或批評

代表官方的全國人大教育科學文化衛生委員的人口衛
生體育室副處長楊勝萬和主任陶意傳對聯合國人口文件有
些綜合意見，其中也有些關鍵性的批評，他們以為：

聯合國人口文件的計劃生育對夫婦和個人生育權利
的肯定是歷史的進步，但是，作為一項基本人權，它
也存在著不可彌補的缺陷，其中一個重要缺陷就是不
利於一些國家解決其本國帶來嚴重社會經濟、環境困
境的人口過快增長問題，同時，這一概念也過多地強
調了個人權利，相對忽視了個人權利與集體權利之間
的關係。實際上，任何權利都意味著一定義務，它都

---

13 同註 8，頁 22。

必須得到一定的限制，這種限制本身就是為了個人權利的實現。抽象的、理想主義的權利只存在於理論家的頭腦之中。任何過分強調個人權利或集體權利都是錯誤的。

《行動計劃》的產生，與解決世界急劇增長的人口問題密切相關，它的「明確目的在於幫助協調人口趨勢和經濟及社會發展趨勢」（行動計劃，第 1 段），但是，聯合國人口會議卻越來越重視個人的生育權利問題，似乎它是另一次聯合國人權會議，而不是一次討論和解決人口問題的會議。如果真是這樣，那是有背於召開人口會議和制定《行動計劃》初衷。不容懷疑，人口問題中存在人權問題，但是，決不能把它簡單地等同於人權問題，從而歸結為只要每對夫婦和個人充分實現了個人的生育自決權，各國的人口問題就會迎刃而解了。這是不現實的，也是有害的。

人口問題是當今的一個全球性問題，它的解決與人類所面臨的其它如環境惡化、資源短缺等全球性問題的解決密切相關。在生育上，如何處理好人權、人口控制之間的關係是非常重要的，它關係到世界未來的前途。作為聯合國，要解決人類的共同問題，它就必須考慮夫婦和個人在生育上的個人權利與集體權利之間的關係，考慮世界各國包括西方各國的實際情況，考慮發達國家與發展中國家的情況，考慮到西方的情況和東方的情況，這也是世界文化多樣性的要求。

不管具有什麼樣的經濟文化政治背景，如果我們撇開偏見和固執的自以為是的態度，如果我們的共同目的是為了人類擁有一個更好的明天，我們都會認識到發展中國家人口問

題的解決與全球所有人的福利、生存和發展問題密切相關，
那麼在人權和人口問題上達成共識也是可能的。[14]

六、中共國家社會經濟計劃和人口計劃

中國大陸已把人口計劃納入國家社會經濟計劃，並主張
取得物質生產計劃和人口計劃的平衡。這是史無前例的政
策，可以說是人類史上少有的大實驗。

那麼，國家計劃中是怎樣規定人口計劃的呢？下面整理
歸納了歷任總理在全國人民代表大會上所作的政府工作報
告中的有關內容及政府的有關活動。

◎1978 年 2 月，第五屆全國人民代表大會第一次會議，華國
　鋒：「三年內努力把人口自然增長率控制在 10％以下。」

◎1978 年 3 月，憲法：「國家提倡並推行計劃生育。」

◎1978 年 6 月，設立國務院計劃生育領導小組，陳慕華任主
　任。

◎1979 年 6 月，第五屆全國人民代表大會第二次會議，華國
　鋒：「要對只生一個子女的夫婦給予獎勵。……社會經濟
　政策要有利於推行計劃生育。……今年要努力把全國人口
　增長率控制在 10％以下，1985 年必須控制在 5％以下。」

◎1979 年 8 月，陳慕華在《人民日報》發表文章，提出，「爲
　了實現到本世紀末人口增長率爲零的目標，第一階段到
　1985 年人口增長率要從現在的 12％下降到 5％，第二階段

---

14 同註 8，頁 23。

到 2000 年達到負增長。爲實現第一階段的目標，應該減少多生，降低多胎率，提倡一對夫婦生一個孩子。實現目標的關鍵是必須採取有力措施。（1）加強黨的領導，把計劃生育工作納入各級黨委的議事日程；（2）加強宣傳教育，打破人口理論禁區，解放思想，大造控制人口的輿論；（3）加強法制建設，採取必要的經濟措施，實行以獎勵爲主的獎罰措施。中央在集中各地經驗的基礎上，著手起草《計劃生育法》，目前正在徵求各地、各部門的意見；（4）認真培訓醫務人員，提高醫療技術，積極生產和供應避孕藥具；（5）設立強有力的計劃生育工作機構。」

◎1980 年 9 月，通過婚姻法。計劃生育法推遲通過。

◎1981 年 11 月，第五屆全國人民代表大會第四次會議上，趙紫陽在政府工作報告中指出：「農村是計劃生育工作的重點。推行各種形式的生產責任制以後，原有的一些控制人口增長的措施已不能適應新的形勢，部分地區出現了出生率回升的趨勢。這種情況不能放任自流。……我們要求全國上下爲著人民的利益，民族的前途，爲實現本世紀末把我國人口控制在 12 億以內的目標，作出堅持不懈的努力。」

◎1982 年 11 月，在第五屆全國人民代表大會第五次會議上，趙紫陽在《關於第六個五年計劃的報告》中提出：「今後人口的年自然增長率，必須控制在 13％以下。1985 年 29 個省、市、自治區的總人口，必須控制在 10.6 億左右。……必須採取切實可行的措施，普遍提倡晚婚，提倡一對夫婦只生一個孩子。嚴格控制第二胎，堅決杜絕多胎生育，控

制人口增長，……必須向全國人民特別是農民進行有說服
力的教育，大力破除重男輕女、多子多福的封建習俗，著
重保護女嬰和生女嬰的母親。只生一個女孩並且把她撫養
好、教育好，比只生一個男孩更應該受到表揚、支持和鼓
勵。全社會對於溺害女嬰和虐待女嬰母親的犯罪行為都要
堅決予以譴責，司法機關要堅決給予法律制裁。」

◎1982 年 12 月通過的憲法的第二十五條規定：「國家推行計
劃生育，使人口的增長同經濟和社會發展計劃相適應。」
第四十九條規定：「夫妻雙方有實行計劃生育的義務。」

◎在 1982 年 12 月通過的國民經濟社會發展五年計劃中，要
求 1985 年大陸人口總數控制在 10.6 億人，出生率控制在
19％，自然增長率控制在 13％以內。少數民族聚居地區也
要實行計劃生育，各地可根據本地區的經濟、自然條件和
人口狀況，制定計劃生育的計劃。

◎1983 年 1 月，國家計劃生育委員會錢信忠主任在《人民日
報》撰文呼籲：「要盡快制定《計劃生育法》，作為全國人
民共同遵守的準則。」

◎1983 年 2 月 15 日，錢信忠在《北京周報》上發表的《關
於控制人口》一文中指出：「到本世紀末，要把人口控制
在 12 億以下，今後 18 年內人口增長應在 1.9 億以內，年
增長率必須控制在 9.5％以下。現在，全國獨生子女的育
齡夫婦有 2500 多萬對，其中領取獨生子女證的夫婦 1600
萬對，占 60％。……今後要在進一步調查研究、總結經驗
基礎上，兩年內制定出計劃生育法。」

◎1983 年 6 月，在第六屆全國人民代表大會第一次會議上，

趙紫陽在政府工作報告中指出：「無論是推進生產建設和改善人民生活，都要求繼續把控制人口增長當作一件大事來抓。這是我們的國策，是根本性的戰略措施。我們一定要堅持不懈地普遍提倡晚婚，提倡對夫婦只生一個小孩，嚴格控制二胎，堅決杜絕多胎。認真落實有效的節育措施，堅決保護女嬰和生女嬰的婦女。為了促進計劃生育工作的發展，要依靠各方面的力量，積極舉辦各種形式的養老事業。

◎1983 年 6 月 14 日，錢信忠（1983 年 9 月與印度總理甘地一起獲首屆聯合國人口獎）在第六屆全國人民代表大會分組討論發言時說：「現在農村生育兩個以上子女的情況非常嚴重，……1983 年到 2000 年的 18 年間，將有 2 億對男女進入結婚期，如果一對夫婦生兩個孩子，就是 4 億，即使死亡 1.3 億，也會淨增 2.7 億人，大幅度地突破當初的指標。目前，我國有生育能力的婦女達 1.7 億人，其中 1.1 億人採取了避孕措施（上節育環 50%，結紮 33%）。」「為了實現在本世紀末把人口控制在 12 億以內，必須努力做到以下三點：『第一，制定有關生育的法律；第二，加強計劃生育的研究和普及應用新技術；第三，加強宣傳，做好日常工作』。

◎1985 年 9 月，《中共中央關於制定國民經濟和社會發展第七個五年計劃的建議》中提出：「『七五』期間，進入婚育年齡的人口處於高峰，一定要把計劃生育工作放在更加重要的地位，堅持不懈地抓下去，力爭五年內人口平均增長率控制在 12.5% 左右。要大力推行優生優育，加強婦幼保

健。」把 2000 年人口總數修正爲 12.5 億左右。

◎ 1988 年 3 月，李鵬總理在第七屆全國人民代表大會第一次會議所作的《政府工作報告》中，把計劃生育作爲基本國策確定下來，要求認真貫徹執行，並指出：「實行計劃生育，控制人口增長，提高人口素質，是我國的一項基本國策。各級政府以及廣大計劃生育工作者爲了貫徹這一國策，做了大量的艱苦工作，成績是顯著的。但是，由於我國人口基數大，現在正處於生育高峰，加上傳統觀念的影響很深，在改革中又出現了許多新情況新問題，仗計劃生育的工作難度增大，決不可掉以輕心。爲了實現在本世紀末把我國人口控第在 12 億左右的目標，必須嚴格執行現行政策，繼續提倡晚婚晚育，提倡一對夫婦只生育一個孩子。即使在農村中對少數確有困難的家庭作些照顧，也必須從嚴掌握。大力提倡優生、優育、優教，在控制人口數量的同時，注重提高人口素質。」

◎ 國務院在今後五年裡努力實現的十項主要任務之一就是「既立足現實又面向未來，認真貫徹實行計劃生育和加強環境保護這兩項基本國策。」

　　以上，歸納了中國大陸國家計劃中所確定的計劃生育目標。

　　1978 年開始時，中共提出「三年以內人口增長率控制在 10%以下」，第二年 6 月則爲「今年控制在 10%以下，到 1985 年約爲 5%」，陳慕華在 8 月表示，「到本世紀末實現零增長的目標」。1980 年 9 月以後確定爲「本世紀末控制在 12 億以內」，但其後對「12 億左右」作了微妙的變更修正。在不同

時期，又分別強調了「保護女嬰」、「少數民族聚居地區」、「制定計劃生育法」、「實行生產責任後出生率再度上升」、「養老事業」等問題。

在強化機構上，1978 年 6 月中共在國務院設立了「計劃生育領導小組」，1981 年 3 月擴大改組為「國家計劃生育委員會」，加強了各級機構。再就是，在全國計劃生育委員會主任會議上確定，要加強宣傳教育工作，開展調查研究，根據不同地區的不同情況進行分類指導，加強避孕藥具的生產，並免費提供，加強對絕育的技術指導等。[15]

七、中國大陸的人口法律制度

中國大陸目前各地的計劃生育法規事實上效力直接來自於憲法和全國統一的人口政策，而非直接來自於國家統一的人口法或計劃生育法。全國性的人口法規基本上還是一些政策指導性，個別具有法規性質的條例或辦法大部分產生在地方法規之後。中共為配合一胎化人口政策，1980 年 9 月通過〈婚姻法〉，之後積極制定〈計劃生育法〉。〈婚姻法〉中規定的晚婚、晚育、少生、稀生、優生等攻策正反映了中國大陸的一胎化人口政策。大陸的「計劃生育」概念主要包括：圍繞人口數量的晚婚，是指至少應超過法定年齡（男 22 歲，女 20 歲）三年以上結婚；晚育，婦女過 24 歲以後生育；少生，一對夫婦只生育一個孩子；稀生，生育間隔應為三四年；

---

15 同註 2，頁 42-46。

圍繞人口質量的優生，是指沒有遺傳殘疾，使後代在德智體諸方面得到全面發展，成為建設四個現代化的人才，不斷提高中華民族的素質。根據 1995 年國務院頒布國家計劃委員會制定的〈中國計劃生育工作綱要（1995 年—2000 年）〉提出的要求，近幾年要「認真做好制定中華人民共和國計劃生育法的前期準備工作」。可見，制定計劃生育法對大陸的人口法制建設可說是必經之路。

學者也知道，從長遠來看，中國大陸的人口法制建設無論如何不能僅停留在計劃生育立法一個方面，完善的人口法制還需要諸如人口遷移法、人口管理法、人口普查法和人口規劃法等單行法，還需要調控人口全局的人口基本法。即使制定了專門的計劃生育法，也還必須防止因此再停步不前，形成以為有了計劃生育法就可以解決所有人口問題的觀念。16

不錯！不論是〈婚姻法〉或〈計劃生育法〉都只是作為調整人口生養、遷移和管理關係的法律——人口法的其中一個面向。現在，我們即就大陸的人口法律制度中與人口控制政策相關者，指出幾個特點。

（一）人口立法的著眼點直接從公民的群體 利益和社會利益出發

學者認為「單個公民無論如何對周圍生態環境構成不了

---

16 參見楊遂全，《中國人口法律制度研究》（北京：法律出版社，1995），頁 30。

多大的威脅，個別公民終身不育對人類延續也不會有多大的影響。」[17]

（二）義務性規範為主的人口法律

通常，法律規定有授權、義務、禁止三種形式來規範人的行為，即規定當事人有權做、必須做、不准做三種方式，形成法律行為模式。統觀中國大陸目前已有的人口法規各種條文，基本上從義務角度規定人口行為的居多。

〈憲法〉第 25 條規定：「國家推行計劃生育，使人口的增長同經濟和社會發展計劃相適應。」〈第二章公民的基本權利和義務〉第 49 條第 2 款規定：「夫妻雙方有實行計劃生育的義務。」〈婚姻法〉與各地的計劃生育條例，無不規定夫妻有此義務。絕大部分省份，把這一義務推及一切生育適齡公民。各種人口法規中規定的「必須」、「應當」、「應」、「應該」、「禁止」、「不准」、「有責」、「負責」、「有……責任、職責」等條款，儘管未直接使用「義務」一詞，但事實上都是義務性規範。這其中有的是一般公民的義務，有的是人口管理人員的義務。除了這些義務性條款，實體性人口法規條文極少直接從權利角度規定人口法律關係的。

（三）人口生育權利義務關係之產生與構成

為了維護人口生產延續不斷，每個公民一旦進入能夠生育後代的性成熟期，即獲得了生育權。但是，為了保證人口

---

17 同註 16，頁 34。

質量和控制人口數量，法律往往只賦予結了婚的公民才有生育權。具體說來，未達結婚條件或雖具備結婚條件但並未結婚的人，均無生育權。非婚生育就是非法的。無論是未婚同居生育、遭強姦生育，還是通過人工授精非婚生育，都是法律禁止的。因此，中國大陸人口法規普遍規定「一對夫妻可以生育一胎，禁止計劃外或非婚生育」。由於是一種權利，因而公民可以行使，也可以不行使，終生不育也不違法。作為權利的相對人，國家有義務保護公民的這種合法權益，同時提供公民行使這種權利的條件。比如積極研究治療不育症的措施，提供還必要的懷孕分娩條件和產假時間等。這些都是公民一胎生育權的基本構成要素。誠然，公民行使生育權時，還有優生的義務。

公民的二胎或三胎生育權的產生除了應具備一胎生育各項條件外，還要具備諸多人口法規規定的各種條件。根據這些規定，實際可以享有這種多胎生育權的公民，已為數不多。據推算約有一半以上已生育一胎的夫婦將喪失繼續再生育的權利，實際執行中可能不到一半。

這些喪失再生育權利的夫婦，轉而成為禁止生育的義務主體。根據人口法規的普遍要求，應當說每個有生育能力的公民，均有實行計劃生育的義務。國家享有控制這些公民生育的權利。具體來說，凡是未取得合法生育權的育能公民，均有不得生育的義務。違背這一義務的行為，均應受到處罰。

根據權利義務相致和對等原則，國家在行使禁止或限制公民生育的權利時，得提供公民履行相應義務時必備的條件。比如，供給必要的避孕工具和技術，提供必要的人工流

產設備和技術條件等。否則，公民將權有不履行這些義務。[18]

八、中國大陸一胎化政策帶來的難題

（一）獨生子女的群體現象

提倡「一對夫妻只生一個孩子」並實施獨生子女獎勵政策，其結果是產生了許多獨生子女的家庭。1990 年人口普查表明，大陸平均家庭規模爲 4 人，而 1982 年普查時爲 4.4 人，大陸許多地區的平均家庭規模甚至小於 4，如上海爲 3.1，北京 3.2。這說明，一對夫妻一個孩子的核心家庭占主導地位，在城市低生育率地區尤其如此。預計到本世紀末，獨生子女家庭將成爲大陸家庭的主體形式。它對大陸的家庭觀念、家庭結構和生活方式將產生廣泛深刻的影響，並將由此帶來一系列社會問題。[19]

首先，實行一胎化政策，在大陸各地，尤其是廣大城市中，迅速湧現一大批終身將無任何兄弟姊妹的孩子，即獨生子女。根據北京經濟學院人口經濟研究所的研究資料，在實行獨生子女政策以前，終身只生育一個孩子的父母在育齡父母中所占的比例相當小，即使是城鎮父母，其終身生育率也都在四個以上。在育齡末期的父母中，只有一個孩子的父母是很少的，他們在同代父母中比例往往只有 5％。然而，隨著七十年代末一胎化政策的實施後在不到十年的時間裡，數

---

18 同註 16，頁 37-38。
19 同註 7，頁 328。

以千萬計的獨生子女湧現出來，在大陸形成一個獨特龐大的獨生子女群體。[20]

1986 年，中國大陸獨生子女總數已達 3500 萬。在全中國有子女的育齡夫婦家庭中，獨生子女家庭已占 21.2%。隨著獨生子女家庭的不斷增加，獨生子女的家庭教育問題已是教育家和育齡夫婦的熱門話題。[21]

七十年代末出生的第一代獨生子女，將未來大陸的家庭連續發展降到了最低限度，從而大大地改變了人們的家庭和家庭觀。這種單一子女的家庭結構使家庭關係開始大大簡化，獨生子女不存在兄弟姊妹的手足關係，他們的下一代也不再有伯叔姑姨舅的親屬關係。姻親方面則同樣只有配偶的直系血親。傳統家庭龐大的親屬網絡將簡化到家庭發展必須的最小限度，只是配偶雙方的直系親屬、血親集團，範圍僅包括子女、配偶雙方的父母、祖父母和外祖父母。儒家傳統的五倫關係，立即少了一倫--兄弟倫（長幼有序），人與人之間除了性與生育關係之外，不具有其他親緣關係，現在的許多關係及行為規範將通通消失或失去作用，從改變人際對話交往的觀念與準則。

其次，獨生子女在一定歷史階段中的這種集中化趨勢，將使獨生子女承擔起未來社會人口老齡化所帶來的巨大經濟壓力。所以，未來社會勞動人口的減少和人口的老化必須以提高一代新的勞動力的心理、文化質素和創造才能作為補

---

20 同註 7，頁 329。

21 沙吉才主編，《改革開放中的人口問題研究》（北京：北京大學出版社，1994 年 9 月初版），頁 466。

償。獨生子女在本世紀所受的教育，就是爲下世紀實現更高
社會經濟目標所做的必要準備。但是大陸獨生子女是否能承
擔起未來巨大的經濟和心理的壓力，成爲跨世紀繼往開來的
一代而承擔未來歷史的重責大任呢？程超澤教授以爲「結論
是悲觀的！」[22]

程超澤分析道：

> 獨特的家庭結構爲獨生子女創設了一個獨特的家庭
> 人際對話關係，使他們在家庭中的地位更加突顯。獨
> 生子女在這一獨特的家庭結構裡，獲得了比非獨生子
> 女更爲有利的發展機會和獲得父母專一的感情。然
> 而，惟其獨生子女家庭中單一化的結構，又給獨生子
> 女的發展帶來消極影響：一是父母對子女的期望過
> 高，脫離了子女發展水平所能達到的要求，兩代人之
> 間的心理差距隨獨生子女年齡增長而擴大；二是父母
> 從滿足獨生子女無限度的物質要求作爲傳導親子之
> 愛的主要方式，獨生子女的自我中心意識得到不斷膨
> 脹；三是獨生子女在家庭中只有父母和隔代老人的交
> 往，沒有同代人之間的平等交往，極易養成他們的依
> 賴心理，並缺乏生活自理自力能力和對他人的同情
> 感；四是家長出於安全和其他方面考慮，會過多地限
> 制獨生子女與家庭外同齡人的聯繫，容易使他們形成
> 失群的孤獨心理，出現與社會行爲的不協調現象。[23]

類似的說法如沙吉才主編之《改革開放中的人口問題研

---

22 同註 7，頁 330。
23 同註 7，頁 330-331。

究》[24] 所提：

> （1）獨生子女本來缺乏必要的競爭因素，加上家庭
> 長輩過分嬌寵、溺愛，助長他們"自我中心"的傾向，
> 不利於兒童個性發展和社會化；（2）助使孩子養成一
> 切依賴父母的習慣，獨立生活能力差；（3）有的父母
> 怕自己獨生孩子出意外，處處設防，不讓孩子與別的
> 孩子交往，這實際上使孩子與外界隔絕，遇事無所適
> 從；（4）父母對孩子期望過高，拔曲助長，結果使一
> 些獨生子女心態畸形發展；等等。（頁 466）

作者又指出：

> 當整個社會在為驕、慣、寵的環境中培養出來的獨生
> 子女的教育問題憂心忡忡時，擁有新潮服裝、金銀首
> 飾、大把的零花錢、由個體戶子女組成的一個社會群
> 體悄然出現，並且逐漸擴大。有的小小年紀，身著價
> 值幾千元的貂皮大衣，戴著純金項鍊，進口手錶；靠
> 父母出高價買得重點中學"入門證"；學校值日花錢請
> 同學代勞，學習成績排名次總是最後；成為一批金罐
> 子裏長大的"小皇帝"。（頁 467）
>
> ……

這幾年來，可從各種調查資料說明，獨生子女的語言表
達和邏輯思維等智力因素優於非獨生子女，而情感意志和社
會行為選擇等非智力因素又比非獨生子女差。用流行的話語
來說，就是獨生子女的 IQ 高而 EQ 低。對獨生子女個性心理

---

24 同註 21，頁 446。

特徵和行爲方式上出現的問題，我們可以看作是家庭教育不
當的結果，但事實上它是從家庭環境變遷和獨生子女群體現
象中的家庭單一結構中衍生出來的，是一種結構性社會病
症。它將隨獨生子女家庭的增加而普遍化。正確的家庭教育
固然可以在一定程度上遏制這種社會病症的加劇，但獨生子
女父母本身是難以改變伴隨著同代獨生子女群帶來的畸形
的家庭結構和家庭環境。[25]

　　另一位大陸學者何博傳對此問題有更悲觀的看法，他
說：

> 無可避免的孤獨以及父母全心希望、寄托、縱容、遷
> 就、寵愛於一個孩子的結果，使獨生子女普遍的固
> 執、傲慢、驕蠻、自以為是、不善交際、不知分享是
> 什麼回事，不知不覺中養成一種敗家的性格。[26]

（二）嚴重偏離的性別比

　　根據國際上大量持續了一、二百年以上的人口統計數
據，生物學意義的人類正常出生性別比爲 106，即每 100 個
女嬰對應 106 個左右男嬰。根據大陸六、七十年代的出生性
別比，除個別年分出現過隨機波動外，均處於正常值（106
左右）範圍。然而，由於執行一胎化人口政策，大陸人口性
別平衡受到嚴重破壞。第三次全國人口普查（1982 年）給出
的 1981 年出生性別比爲 108.5，1987 年的 1%人口抽樣調查

---

25 同註 7，頁 331。
26 參見何博傳，《山坳上的中國──問題、困境、痛苦的選擇》（貴
　　陽：貴州人民出版社，1989），頁 250。

給出的 1986 年出生性別比爲 110.94,1988 年 2%生育節育調查給出的 1987 年出生性別比爲 111,1990 年的第四次人口普查 10%匯總材料給出的 1989 年出生性別比爲 113.8。1953、1964、1982 與 1990 四次人口普查中 0-4 歲兒童性別比分別爲 107、106.2、107.1 與 110.2。大陸各種人口調查與普查數字反映出,八十年代較大幅度升高的出生性別比已嚴重偏離正常值。[27]

　　大陸低年齡段人口性別比異常和中國傳統的文化習俗有著不可分割的聯繫,現今大陸的廣大農民家庭依舊普遍存在有條件的性別偏好,據大陸第一期深入生育率調查結果(1986 年),陝西、河北二省一半尙無子女的婦女,都希望她們生的第一個孩子是男孩,已有二個女孩的婦女全部想再有一個男孩。如果對生育子女數不加限制,農村婦女只要還沒有生男孩的就會一直生下去,直到育齡期結束不能再生爲止。在對生育子女數量嚴格控制的七十年代和八十年代,廣大農村婦女則千方百計想要一個男孩。

　　從社會學角度而言,出生性別比受人爲因素影響,這個人爲素就是人們對子女的性別偏好。人們爲了要有一個心目中較爲理想的家庭子女性別結構,採取了某些人爲手段。如瞞報或漏報女嬰是希望在現行生育政策下通過增加子女數量得到期望性別的子女;若產前性別鑑定與性別選擇性人工流產則是在一定的子女數量不變的基礎上得到期望性別的子女,[28] 這就是前文所謂的廣大農村的「千方百計」。

---

27 同註 7,頁 315。
28 參見賈威、彭希哲,〈中國生育率下降過程中的出生性別比〉,

　　針對中國大陸出生性別比偏高這一客觀統計事實，國內外許多人口學者經過大量的分析研究，提出了許多較為科學、合理的解釋和觀點。其基本內容主要集中於三個角度進行解釋和論證：一是著重從女嬰瞞報、漏報的角度；[29] 二是著重從選擇胎兒性別的流產、引產角度，[30] 三是從溺棄女嬰的角度。[31] 大陸到底有多少女嬰被流產、引產、溺斃、遺棄和漏報戶口，沒有人知道。人們通常只能用正常的出生性別比來推算出多少女嬰應該出生。例如，1987 年，全大陸出生了 2472 萬名嬰兒，出生率是 23.3%，出生性別比是 111.7，男嬰 1304 萬，女嬰 1168 萬，如果按出生性別比 105 來推算，那麼必須除上 74 萬名女嬰才能到 105 的出生性別比，這 74 萬名女嬰在哪裡，實在值得以實事求是的科學態度來研究。1983 年 4 月 5 日，《經濟日報》在〈警惕新的人口問題〉一文中指出：「現在中國新生兒的男女比率嚴重失衡，達到了令人吃驚的程度」，在安徽省懷遠縣，「1981 年新生兒中，男嬰占 58.2%，女嬰為 41.8%，性別比為 138.90。……這種失衡產生的直接原因是殘害女嬰現象。據統計，安徽省全椒縣

載於《人口研究》（第 19 卷第 4 期，1995 年 7 月），頁 19。

29 參見曾毅、顧寶昌等，〈我國近年來出生性別比升高原因及其後果分析〉，載於《人口與經濟》，1993 年 1 月。Sten Johansson, Ola Nygren, The Missing Girls of China : A New Demographic Account, *Population and Development Review*, 1991, Vol.17, No. 1.

30 參見李涌平〈胎兒性別鑑定的流引產對出生嬰兒性別比的影響〉，載於《人口研究》（1993 年 5 月）。

31 Terence. H. Hull, Recent Trends in Sex Ratio at Birth in China, *Population and Development Review*, 1990, Vol.16, No. 1。

1978——1979 年溺殺女嬰事件達 195 起。」[32]

　　1985 年 6 月，在義大利佛羅倫斯召開的國際人口學會第二十屆大會上，美國學者 Banister 在題為〈對中國 1982 年人口普查結構的驚人與確認〉一文中，對大陸歷年出生率與死亡率漏報數進行推算，所得的相應數在最高年分竟分別達百分之二十多與百分之四十多。他指出，「如果中國實際的出生性別比為 106 的話，那麼，在 1981 年出生嬰兒中至少有 23 萬女嬰沒有報告。」「如果中國新聞工具描述的殺害女嬰的問題在統計上是嚴重的話，一點在 1982 年普查的生命表中根本沒有反映出來。這一點暗示，有些家庭沒有向普查員提到被害者的出生和死亡。」[33]

　　今後，令人擔心的是運用羊水穿刺鑒別胎兒性別、控制受孕和生育等方法，會進一步擴大出生性別比的不平衡。顯然，一胎化的人口控制政策，在性別比問題上受到各方強烈的質疑。

　　隨著一胎化政策的繼續實施，嚴重偏離的性別比持續下去，若造成婚齡男女比例失調，將會導致一部分男性或女性不能按一般標準來擇偶，甚至使部分人終生難以成婚，而形成所謂「婚姻市場擠壓」。[34] 以中國大陸的人口結構現況，加上婚姻締結的諸多複雜因素考慮，[35] 可以預見的是：下世

---

32 同註 2，頁 92-93。
33 同註 7，頁 318。Banister, J., *Recent Mortality Levels and Trends*, Paper prepared for the population Association of America, Denver, May 1992, p. 13.
34 同註 7，頁 318。
35 人類社會的婚姻締結並非只按男女一定年齡差作為唯一一條件來

紀初，將有相當數量的男性人口難於覓得合適的女性作爲配偶，以至成爲社會問題，影響中國人口的正常發展。

此外，七十年代生育率的急劇下降，使大陸人口的年齡結構發生了很大變化，已完全擺脫了年輕型，並開始向成年型過渡，人口老化傾向已日見端倪。在大陸，積極推行的計劃生育政策縮短了生育率下降的歷史進程，從而使人口老齡化提前到來。由於生育率下降並沒有像其他發達國家一樣，是一個社會經濟發展的必然過程，從而使大陸人口老齡化過程從一開始就面臨著重大的社會考驗。其中將包括對經濟生活、政治生活、文化生活在內的整個社會生活產生一系列影響，尤其對經濟發展，對生產、消費、技術進步、經濟結構等將產生深刻影響。其中又以如何妥善解決老有所養問題格外突出。[36]

再者，堅持一胎化政策的結果，勢必造成避孕失敗而必須結束妊娠的手術－人工流產數量的增加。至於對人工流產的進一步探討見下文。

第三節 一種生育倫理：人口 政策的倫理思考

生命倫理學中有不少問題是和生育有關；所以，一本名

相互選擇的，還有許多更複雜因素，如文化程度、職業、收入，甚至還有城鄉戶口問題、聘禮、對方家庭在當地的威望及家庭關係等因素的影響。參見註 7，頁 322。

36 詳細的討論參見註 7，頁 322-328。

爲《生育倫理學》的英文著述也於數年前應運而生。生育倫
理學的確有足夠課題可以成爲生命倫理學的次學科
（sub-discipline）；而且，生育倫理學中的各種問題，還可以
根據兩個變項來加以分類。這兩個變項是生育的欲望及生育
的能力；不同的排列組合，便會帶來不同的生育倫理問題。
[37] 中共的一胎化政策就是在夫妻有生育欲望，也有生育能
力，但面臨社會人口過多的壓力之下的一種人口控制政策。
這種人口政策與解決夫妻不育的諸多人工生殖方式，如人工
受精、精卵捐贈、胚胎捐贈、代理孕母等相同，均無可避免
地必須面臨一些倫理問題，接受倫理的檢証。也就是說，關
於人口政策，除了具有科學研究（人口學）的旨趣外，還有
哲學倫理學方面的問題，它不涉及對事實的分析和預測，而
提供方法論方面的依據，此即是說，它向我們提供一種人口
政策之是否可以接受的根據是什麼的思考。

一、對唐熱風〈中國的人口政策：好的
選擇與對的選擇〉一文的回應

（一）

　　唐熱風先生在〈中國的人口政策：好的選擇與對的選擇〉
一文中指出該文：

　　　　並不是要論證中國的人口政策是好的或壞的，對的或

---

37 羅秉祥，〈生育倫理學問題初探〉，載於《哲學雜誌》（台北：業
　　強，1995 年 4 月出版），第 12 期。

錯的，而是要論證關於人口政策的正確思路應當考慮
它是否是『好的』，而不是它是否是『對的』。

並指出：

關於人口政策的中國式思路所考慮的是『益處』，而
來自某些西方學者的批評所考慮的則是它的『正確
性』。

唐熱風以為：

這種不同的思路歸結於兩種不同的倫理學，亦即公正
倫理學和關懷倫理學或對的倫理學與好的倫理學之
間的衝突。

甚至更進一步指出：「好的倫理學是比正確的倫理學更
為成熟的倫理學。」於是終結了「好的倫理學在人口政策的
選擇和實施上的意義。」[38]

唐文中的幾個要點都是倫理學上關鍵的問題，亟待澄
清。

首先，我們知道，倫理學以「人」或「人性行為」（英：
human acts；拉：*actus humani*）為研究對象（質料對象），尤
其關注人或人性行為的「是非善惡」的性質（形式對象）。
是非即對錯，是「正確」與否的問題；善惡即好壞，利益或
益處是一種善，但不可說善即等同於利益或益處。是非問題
不同於善惡問題但都隸屬於倫理學課題。一個道德行為所具
備的倫理性質是「是」或「善」，若能既「是」且「善」尤

---

38 參見唐熱風，〈中國的人口政策：好的選擇與對的選擇〉，應用
倫理學區域會議，台北，國立中央大學文學院哲學研究所，1997
年6月5、6日。

佳，也就是說一個真正具備倫理價值的行為它既是正確的又是好的；如誠懇待人。因此，在英文有所謂 "right act"或"good act"的說法。但一個道德主體（ moral　agent ），即具位格（ person ）的你、我、他，所可能具備的倫理性質僅是「善」而不是「是」。因此，有所謂"good person" "good man"（好人），卻沒有"right man"，人只有好壞而無對錯。雖然英文中有"Mr. Right"的說法，但已不具任何倫理意含，只表明「適合與否」而已。「是」和「善」都是倫理價值，均是一個成熟的倫理學所追求的價值。至於「是」與「善」，哪一個是倫理上更為成熟的考慮？這是很難一概而論的。因為是非對錯與善惡好壞雖然有別卻息息相關。「道德對」作為一種道德價值，也可說是一種道德善（因為「正價值」即「善」，「負價值」即「惡」）；而有些倫理學家將行為或行為規則所產生的效益大小作為道德對錯的最終判準（如目的論者），也就是某種意義的善決定了是非對錯。

按照西方規範倫理學（Nomative Ethics），我們知道「義務倫理學」與「德行倫理學」是其中的二大分支，二者具有某種程度的相對性或對比性。

義務倫理學中的「目的論」主張：道德對錯或道德義務的最終判準在於其所產生的非道德價值上，也就是說，將道德意義的善化約為非道德意義的善。目的論者按照「應該促進誰的善」此問題之不同解答而區分為三種目的論。若主張「凡人應該做促進他自己最大善之事」者，稱為「倫理自我主義」（Ethical Egoism）；若主張「最大普遍善」（the greatest general　good ）是應積極致力者，稱為「倫理普遍主義」

（Ethical Universalism）或「效益主義」（Utilitarianism）；若主張「應促進他人的善」者，稱之為「倫理利他主義」（Ethical Altruism）。[39]

　　中共人口政策的思考比較類於目的論中的「效益主義」，但這是否就是「關懷倫理學」或「好的倫理學」？筆者則抱持質疑的態度。正如前述，「益處」或「利益」是一種「善」，但「善」並不就等同於「益處」或「利益」；在倫理學上，一個不對、不正確的行為或選擇如何可能是好的或善的？《正義論》（A Theory of Justice）的作者羅爾斯（John Rawls, 1921~2002）稱其正義論為「正義即公平」（justice as fairness），其理論特色正和功利主義相左，是不把任何欲望的滿足就視為「善」，正義原則是個人欲望、抱負之一限制，任何生命理想和目標必須和其相容，也就是說，道德價值之評斷必須先符合對錯之標準才有意義。羅爾斯稱此一理論的特點為「對」的優先性（the priority of right）。[40]

　　筆者在此並未否定利益的考量作為道德的關懷因素之一，只是想點出符合利益考量的行為未必是道德的，當然也未必是善的或好的。因此，中共人口政策的利益思想導向充其量只能說是「效益主義」式的，而不是就等同於「關懷倫理學」或「好的倫理學」。

39　參見本書第一章〈從自由意志論自由〉，頁 22-24。
40　參見林火旺，〈多元價值和「對」的優先性〉，存在與價值研討會，台大哲學系，1991 年 5 月。

（二）

　　唐文一再將「中國式」思路與「西方式」思路相對立。我們就看看中國式思路是否就是「利益」優先考量的思路導向？中國思想的主流儒家，早在先秦孔孟，就有所謂「義利之辨」。孔子言「君子喻於義，小人喻於利」，[41] 開啓了儒家以「義」、「利」之分作爲「君子」與「小人」的分判標準，也就是孔子首先以道德的考慮取代了傳統以出身作爲君子、小人之別的考慮因素。這是一個劃時代旳突破。後來孟子將此發揚光大。《孟子・梁惠王上》首章記載：梁惠王見到孟子的第一句話就是：「將有以利吾國乎？」孟子回答說：「王何必曰利？亦有仁義而已矣！」可見孟子認爲「義」和「利」是截然不同的，「義者，宜也」，[42] 是應不應該的問題；利是功利或效益，不論私利或公利，基本上都是利。有些學者將儒家的「義利之辨」化約爲「公利、私利之辨」的問題，所謂義就是公利，「君子喻於義」就成了「君子喻於公利」，這種看法是錯得嚴重，且簡慢了儒家的精神義蘊。雖然孟子說：「未有仁而遺其親者也，未有義而後其君者也」，[43] 但這只說明了仁義之宜的結果，並不排斥功利或效益，然而功利或效益的結果對仁義行而言是不被考慮在內的，它們只是仁義行所衍生的結果，但不是必然的結果；因此，義與利是本質上相異的，義利之辨是第一序（the first order）的區分，

41　參見《論語・里仁 4.16》。
42　參見《中庸》20 章：「義者，宜也」。
43　參見《孟子・梁惠王上》第 1 章。

至於公利、私利則是對「利」此非道德性質的區分，已是第二序（the second order）的區分。如果將義視爲利、公利，那是墨家的思想，[44] 並非儒家。所以說，儒家的嚴辨義利在理上必然反對功利或效益原則作爲道德價值的判準，但卻允許道德實踐衍生出的功利或效益。於是，「舍生取義」的無功利效益及「仁不遺其親」、「義不後其君」的有功利效益，對「義以爲上」的儒家而言，均是可能的。

由以上的分析，我們可以瞭解，如果西方式的倫理思路是對的優先性，那麼傳統中國式的思路未必不強調對錯、應不應該的問題，甚至將「義」優先於「利」的考量。以上是針對行爲而言，是在義務倫理學的範圍內討論。若就規範倫理學而言，如前所述，義務倫理學與德行倫理學作爲二大分支具有某種程度的對比性；中國傳統儒家以其喜言成聖成賢成君子，注重人之爲君子儒，強調人之所「是」（to be）甚於人之所「爲」（to do）看來，儒家如同西方亞里斯多德的倫理學般，更看重德行倫理學甚於義務倫理學。

（三）

唐文指出：

> 對於那些支持人口控制政策的人來說，理由十分簡
> 單：人口政策對中國人是有好處的，不但對作爲一個

---

44 參見《墨子・經上》：「義，利也」、「忠，利君也」、「孝，利親也」、「功，利民也」，是「義」與「利」相表裡。另參見〈非攻上〉首段，可知墨子將「虧人」多寡（量的考慮）作爲「不義」程度及「罪」輕重的指標，所謂「義」即「公利」及「功利」。

　　整體的中國人有好處，而且對於作為個體的某一個個
　　人也是有好處的。

這種論調幾乎可說是支持中共一胎化政策的大陸學者
及官員的普遍基調。這種論調預設了美善在中國大陸存在著
某種「預定和諧」（pre-established harmony）狀態，使得整體
的中國人與個體的中國人的利益趨於一致、毫無衝突。即使
在邏輯上，可以假設自己的利益和他人的利益一致，個人的
利益和全體社會的利益一致，但這在經驗上是個很可疑的假
設。如果預定和諧假設不真，是否這個「十分簡單」的理由
即不存在，而人口控制政策就必須重新思考囉？！

　　具有官方色彩、擔任國家計生委規劃統計司規劃處副處
長的蘇榮桂女士的一段文字正給這個「預定和諧」一個符合
社會主義意識型態的解釋：

　　社會主義國家利益與人民群眾根本利益的一致性。在
　　社會主義制度下，國家代表著人民的根本利益，在生
　　育問題上國家宏觀利益和群眾微觀利益的矛盾，也就
　　是群眾的長遠利益與近期利益的矛盾，因而，國家有
　　可能通過宣傳教育、提供良好的服務等工作，動員群
　　眾為國家長遠利益作出個人眼前利益的犧牲。[45]

另有學者指出：

　　儘管我國 56 個民族有各自不同的人口發展需要 30 多
　　個省市自治區和城鄉的每一個家庭和公民個人都有
　　自己的人口利益需要，但是作為一個國家，也必然有

---

45 蘇榮桂，〈關於人口計劃的理論和實踐問題的探討〉，載於《人

一個整體的人口利益和需要。應該說在根本上這幾者
的利益是一致的，差異只是整體和個體本身固有的局
部和全部的分別，眼前和長遠的分別，主要和次要的
分別。相對而言，國家整體的人口利益體現著個人和
民族全部、長遠、主要的人口利益。要實現這些利益
的最優化組合，國家統一規劃是基礎。[46]

在這方面，中共是相當自豪於其「優越的社會制度為人
口計劃提供了有利條件。」[47]

二、墮胎是否是個道德問題？

邱仁宗說：

人工流產在中國，至少在大陸，從未成為一個道德問
題，成為道德問題的是晚期流產，不是人工流產本
身。因為中國人認為一個人始於他或她的出生，不是
始於精子鑽進卵那一瞬間。這個信念持續了兩千多
年，也許在將來會有改變，但目前沒有跡象表明放棄
這一信念。[48]

這個說法讓筆者膽顫心驚，筆者從不知素以道德優先的
中國文化傳統竟然在生命倫理學上抱持一種倫理野蠻主義
或倫理無知主義。所謂「人工流產」是在一般醫學上認定胎

兒在母體外不能自然保持其生命之期間內，以醫學技術，使胎兒及其附屬物排除於母體外之方法，也就是對本來「正常」的妊娠，「故意」加工使妊娠中絕，把胎兒排除子宮外。[49] 俗稱為「打胎」或「墮胎」。首先，必須指出，人工流產本身的確涉及倫理道德，這不是東西方之差別，也不是中國人或外國人的差別，只要是一個人，就不會對人工流產（俗稱「墮胎」）的行為，畫規在人性行為之外。其次，中國人是否認為「一個人始於他或她的出生」，這也必須加以說明。一個人在法律上享有某些權益可能必須是已出生完成的「人」，但如果這代表對人的生命的看法的話，可能就不盡然。像中國人自古對人的年齡的算法，當人一出生就說是「一歲」，若是臘月生的孩子，不到一個月過了年，就說是「兩歲」了。為什麼一出生就算一歲？因為在娘胎十月就算一歲了，這是否意味中國人的生命起源觀應打從受孕或著床就開始了呢？

　　還有，當一個懷孕的婦女遭受不測時，中國人的習慣說法是「一屍兩命」，若是被人加害的話，加害人會被處以較重的刑罰，因為傷害的人不只一人哪！由此可知，即使在醫學、科學不發達的古代，中國人雖然不知精卵結合、著床等醫學常識，也沒有精密的科學儀器（如超音波）幫助人們探索人生命的形成過程，但中國人始終對生命懷抱愛護尊敬尊重之情，這是不容置疑的。

　　邱仁宗為什麼說「這個信念持續了兩千多年，也許在將

---

49 參見台灣省家庭計畫研究所，《新婚家庭計畫手冊》，頁 28。

來會有改變，但目前沒有跡象表明會放棄這一信念。」筆者
無法也無意揣度邱仁宗罔顧歷史文化事實的用意，但可以看
看這樣的論調與中國大陸一胎化政策的相連性。一胎化政策
要求一對夫妻只生育一個孩子，女子至少應超過法定年齡
（20 歲）三年以上才可結婚，過 24 歲以後始可生育，必須
申請具有「准生證」才可懷孕生子。只要稍具常識的人都會
知道，這樣的規定對一對已婚具有夫妻之實的男女是極不易
做到的。一對雙方仍在育齡階段的男女只要有性生活就有懷
孕的可能，在諸多避孕措施當中，除了結紮（永久絕育）之
外，沒有一項可以有百分之百的成效，也就是說，意外懷孕
在夫妻生活當中是極為可能的。在這種意外情形發生時，若
仍堅持一胎化政策以及禁止計劃外生育，唯一的解決方式就
是人工流產。

　　我們從中國衛生部正式公布的 1971 年開始推行計劃生
育政策以來的節育數據可看出，1979 年實施一胎化政策之
後，人工流產數量增加，1982 年為 1242 萬件，1983 年為 1437
萬件。[50] 這說明，無論如何，人工流產是一種事後最有效的
控制人口措施。因此，對支持目前中國大陸一胎化政策的人
而言，無論如何也不適於將人工流產視為不道德、違反道德
或與道德相關的行為。這樣或許就可理解為什麼（中國大陸）
「目前沒有跡象表明會放棄這一信念」了。

　　大部分天主教國家和伊斯蘭教國家接受計劃生育、贊同
國際人口與發展會議的宗旨。如意大利、盧森堡 80%以上的

---

50 同註 2，頁 96-98。

人信仰天主教，在一般性辯論中都極力主張實行計劃生育、控制人口過快增長。又如埃及、巴基斯坦是兩個有影響的伊斯蘭教國家，政府都積極支持計劃生育，並且取得了明顯的效果。梵蒂岡和少數伊斯蘭教國家在一般性辯論中發言，則闡述了他們對人口與發展問題的不同看法。

　　梵蒂岡在 1994 年開羅國際人口與發展會議上重申了他們在 1974 年、1984 年兩次會議上的觀點。其中特別表示堅決反對墮胎。梵蒂岡代表認爲：「懷孕就產生了生命，人的生命從開始就應爲社會歡迎。如果對結束懷孕沒有任何限制，都作爲生殖健康服務，那將是悲劇性的。婦女有墮胎的權力是新的提法，不符合人們傳統的道德信仰，有損於個人的尊嚴。」

　　在過去 20 年裡，已開發國家的婚姻家庭觀念有了變化，表現爲結婚率下降、離婚率升高、同居而不結婚家庭增加、單親家庭、同性家庭增加。已開發國家既沒有提倡、也沒有反對這種現象，但是確認家庭有多種組織形式。梵蒂岡堅決反對這種現象默認的作法，他們強調：「家庭是由男人和女人組成，不能對家庭重新定義，我們不同意家庭有多種組織形式，強烈拒絕任何削弱傳統家庭的作法。」

　　對於育齡夫婦採用的避孕方法，梵蒂岡表示同意用安全期避孕，不同意結紮、裝置子宮內避孕器和使用避孕藥具。梵蒂岡抱怨《國際人口與發展會議行動綱領草案》「涉及社會經濟發展的章節比較少。發展需要資源的公平分配、妥善解決窮國的債務問題、改善農業生產條件、提供乾淨的飲水等等，行動綱領沒有提出相應的措施」。

　　少數伊斯蘭教國家對人口與發展問題也有不同點。伊朗代表強調：「不應該讓我們接受不道德的行為，如同性戀」；「墮胎涉及相互牴觸的價值觀，我們不贊成」；「除非有明確的定義，我們不接受性和生殖健康的提法，因為生殖健康可能包含有墮胎服務。我們接受性和生殖健康教育的提法，但是要注意它們的影響，不能擴散到未婚青少年，經父母提供者除外」；伊斯蘭國家馬爾他代表認為；「國家的人口政策不能違背宗教教義和傳統」。蘇丹、沙特和黎巴嫩等伊斯蘭國家由於不同意本次會議的宗旨而未派代表參加會議。51

　　歸納而言，在人工流產問題上，以挪威和歐洲聯盟為代表的西方已開發國家、東歐國家和一些人工流產合法的開發中國家呼籲各國將不安全的人工流產作為一個嚴重的公共衛生問題加以關注，向要求人工流產的婦女提供可靠的信息和諮詢以及處理人工流產併發症的高品質服務；而梵蒂岡以及許多天主教和伊斯蘭教國家則堅持在任何情況下都不能將人工流產作為計劃生育的方法，堅決反對任何可能使人工流產合法化的提法。

　　我們知道，宗教立基於信仰的基礎之上，有其一整套價值觀念和道德標準。任何一個正信的宗教都是值得尊敬與尊重的。在墮胎問題上，宗教之所以堅決反對墮胎正反映了他們對生命的無條件尊重；不能因為要滿足現存人的發展和需求，就可以犧牲或罔顧無辜的小生命的生存和發展。其實著名人口學家馬爾薩斯認為人口成長的結果是貧窮，他也反對

<hr>

51 同註 10，頁 42-43。

人口過度成長，在人口成長的阻礙方面，除了「那些與道德或自然環境有關，傾向於減弱或毀滅人類的架構」的「正阻礙」（positive checks）外，其他一些因素稱爲「預防性阻礙」（preventive checks）-- 限制出生。就理論上而言，這些阻礙包括所有生育控制的方法，如禁慾、避孕和墮胎。對馬爾薩斯而言，唯一能被接受的阻礙生育方式是「道德約束」（moral restraint），也就是晚婚，並且保持婚前貞潔。直到男人「在生活上有保障，不致成爲貧窮人家，對社區不致造成負擔。」這就是「明智的節制」（prudential restraint）的概念。任何其他節育方法，包括避孕、墮胎、溺嬰或其他「不當方式」均被馬爾薩斯視爲邪惡，「降低人類高貴的本質」。

　　道德約束是馬爾薩斯人口論中的精髓，因爲他深信，如果人類允許用不當的方式（即娼妓、墮胎、避孕或結紮）來阻止生育，人類就會將其精力消耗在不經濟的生產上，[52] 外界對馬爾薩斯的攻擊始於 1978 年他的第一部著作《人口影響未來社會進步的原理：對卡德文‧康多利特和其他作家臆測的評論》（Essay on the Principle of Population as it affects the future improvement of society; With remarks on the speculations of Mr. Godwin M. Condorcet, and other writers）剛出版時。其中那些批判馬爾薩斯所堅持的道德約束的人，接受許多馬爾薩斯的其他結論，這些人被稱爲新馬爾薩斯論者（neo-Malthusians）。他們贊成避孕，認爲單靠道德約束並不夠。

---

52 同註 6，頁 33-34。

　　或許多數人會認爲馬爾薩斯所謂的「道德約束」太不切實際了，至少應允許人們避孕，筆者意不在討論此。關於婦女是否有墮胎的權力，這也必須另爲文詳加討論。在此，筆者想指出的是：關於墮胎，絕對涉及一個無辜的生命，[53] 處理欠當也可能影響婦女健康，這確實是個倫理問題。當墮胎作爲一個不被國家政策准許之下的懷孕的唯一解決之道時，亦即墮胎作爲一個國家計劃生育所允許的方式時；很難說這樣的國家人口政策是合乎道德要求或不違背道德的。

　　筆者主張：一個現代化的文明國家，可以接受計劃生育，但反對用強迫的方式進行計劃生育，更反對將墮胎作爲計劃生育的手段。

三、生育權的意義及歸屬

　　自德黑蘭世界人權會議以來，計劃生育就成爲人權的一個組成部分。在 1984 年墨西哥會議上，美國等己開發國改變了 1974 年布加勒斯特會議上的看法，在人口問題上的態度有了一百八十度的大轉彎。雷根政府的代表認爲強迫命令和把墮胎作爲一種計劃生育方法是對計劃生育的自願原則、人類尊嚴包括未出生的人的尊嚴的威脅。由於美國等已開發國家態度的轉變，聯合國文件中這種重視個人權利的觀念得到進一步加強。在 1994 年開羅會議上，又由於非政府組織以及女權主義者的影響，會議文件突出了計劃生育是一

---

53 近來有些人主張所謂胎兒只不過是婦女身體的部分，婦女有身體支配權及自主權，因此有墮胎權力。

項絕對個權利益的觀點。在聯合國人口會議文件所定義的計劃生育中，夫婦和個人的生育決定權是一種基本人權計劃生育的目的就在於幫助夫婦和個人實現這一目的。[54]

　　人權的歷史淵源產生於歐洲 14、15 世紀的人文主義。17、18 世紀歐洲的一批啓蒙學者對人權理論的發展也有重要貢獻。「天賦人權」的概念是被譽爲「現代國際法之父」的荷蘭法學家格老秀斯最早提出的，經過洛克（John Locke,1632~1704）、伏爾泰（Voltaire,1694~1778）、孟德斯鳩（Montesquieu,1689~1755）、盧梭（J. Rousseau,1712~1778）等人的發展，才得到系統的表達。現代意義的人權概念，基本上是建立在西方以個人權利爲核心的文化和歷史基礎之上的。至於人權的根據，有人提出是神所賜與；既爲神所賜，當不爲他人所奪，即依神的意志而來，當不能依人的意志而讓與。也有人認爲人權乃是人在自然狀態（state of nature）之下，基於自然法而來。人爲了確保此一人權的享有，乃締結契約，以創設國家。於是人權無論是從歷史上或從邏輯上，都是先於國家而存在者。因此，當然不能以國家的名義或權力限制人權，或禁止人權。今日很多國家，認爲人權此一命題如能成立，則所提根據，無論是神或自然法，都無關宏旨。大多以爲只要以「人性」或「人的尊嚴」爲根據，便已足夠。人權的概念，如以「人性」或「人的尊嚴」作爲根據，這就是所謂「人」的存有邏輯上必然產生者。當然，我們不能因此即斷言，人權的概念即與人類的歷史同時肇始。

---

54 同註 8，頁 18-19。

人權的概念，在人的社會裡，所有生物學意義的人（*Homo sapiens*），當然也必須是社會意義的人，而且基於某種理念，認定社會意義的人，也是人類社會的最高價值。這種理念通常稱之爲「人文主義」（humanism）。

由憲法史的立場言，這種意義的人文主義，認爲所有政治價值的根據乃在於個別的人。「人性」或「人的尊嚴」，即表示人在社會裡的最高價值。這裡說的「人」，並非抽象的一般人，而是指具體的個別的人。因此所謂的人文主義，在某個觀點看來是指具體的個別的人。因此所謂的人文主義，在某個觀點看來也可說是「個人主義」（individualism）。[55]

政治價值的根據既在人，則所有政治目的，乃在其構成者人之存有的確保。所有的人，均要求在本質上作爲自由之存有而被對待，這就是所謂「人權」（human right），西方的人權觀認爲「所有的人生而平等，並賦予不能讓與他人的一定的權利。這種權利之中，包含生命、自由以及追求幸福之權。」（美國《獨立宣言》）「一切政治結合的目的都在於保護人的天賦的和不可侵犯的權利」（法國《人和市民的權利宣言》）。

人權是歷史發展的結果，也是人類歷史中偉大的發現與進步。凡是根據國民利益而成立的國家，沒有不在憲法中確立人權的。生育權如同其他權利一樣，是人們經歷史若干世紀和宗教、神權、君權及夫權鬥爭的結果。直到本世紀初、生育權才作爲夫婦和個人的一項基本權利，被看作是人權的

---

55 參見宮澤俊義著，永明譯，《人權概論》（台北：八十年代出版

一個基本內容。

　　生育權是一種基本人權已是國際社會的普遍認定，但是否是一絕對的權利仍值得商榷。因為權利和義務是兩個相對的名詞，都是在維持人類的道德秩序；兩者相連，不能分開。所以筆者願藉用「義務」的概念來思考此一問題。

　　羅斯（W. D. Ross, 1877~ 1971）在倫理學上是位規則義務論者（rule-deontologist），對於倫理義務例外及衝突的問題，他提供一種解決之道。他區分兩種義務：一種是「實際義務」（actual duty），一種是「初步義務」（prima facie duty）。所謂「實際義務」就是我們某個特殊具體情境應該做的義務。所謂「初步義務」則是如果其他條件不變，換言之，如果沒有其他道德考量介入的話，它就必須是個實際義務的義務（Something is a prima facie duty if it is a duty other things being equal, that is , if it world be an actual duty if other moral considerations did not intervene.），[56] 我們很難說某個義務就非得是個「絕對」義務，但我們可以說它是「初步義務」。法蘭克納（William. K. Frankena）舉了個例子：如果我承諾給我的秘書放一天假，那麼我就有了放她一天假的「初步義務」；如果其間並沒有任何其他與此義務衝突的、更重要的倫理考慮介入的話，那麼我就有放她一天假的「實際義務」了。[57] 在此例當中，我們也很難說，我承諾給我秘書是放一

社，1979 年 8 月初版），頁 93-95。
56 參見 William. K. Frankena, *Ethics*(New Jersey: Prentice-Hall, Englewood Cliffs, 1963/1973), p. 26, 1981 年雙葉翻印。
57 同註 56。

天假是個「絕對」義務。同樣地，人的權利的確有些是自然
權利，有些是法定權利。生育權作爲一項基本人權就好比羅
斯所謂的初步義務般，這是公認的；但是否就可以絕對化成
爲一個絕對人權，恐怕也是令人質疑。

　　美國憲法中沒有關於生育的具體規定。按照聯邦和州分
權原則，衛生事務方面的權力屬於州。對於這種憲法非明示
的個人權利，最高法院通過嚴格的司法審查對其進行保護。
美國最高法院根據美國憲法第 5、9 和 14 修正案認爲根據個
人意願自由的結婚、生育和撫養子女是一種最基本的權利，
應予以保護。作爲一種基本權利，最高法院反對政府政府對
生育包括墮胎和性行爲進行干涉，但是並不否認國家有權干
涉個人的生育行爲。最高法院大法官道格拉斯（William. O.
Douglas）在格里斯沃爾德訴康乃狄克州的案件（Griswold v.
Connecticut 1965 年）裁決中指出，生育是一種個人隱私，只
要它不與「州的緊迫利益相衝突」，個人控制自己身體的隱
私權不容侵犯。在同一案例中，戈爾伯格大法官（Arthur
Goldberg）指出，婚姻關係作爲隱私權的基本內容受憲法第
9 修正案的保護。政府只能在有證據表明它與「州的緊迫利
益相衝突」時才能干涉個人的婚姻和生育。這一觀點在羅訴
未德案件（Roe v. Wade 1973 年）的裁決中又得到重申。這
說明美國也不是完全否定國家對個人生育權利的干預，而是
給個人的生育自由確定了一個界限，這個界限就是「州的緊
迫利益」。[58]

---

58 同註 8，頁 19-20。

　　按照美國的法律，可知生育權的確是人們的基本權利，應予保護，通常政府並不干涉人們的生育行為。唯有當個人的生育行為與「州的緊迫利益」相衝突時，國家才能干預個人的生育權利。當然，我們可以說絕對意義上的權利是不存在的，生育權亦然。但中國大陸官方也不能據此就對人們的生育權進行控制。類比於美國「州的緊迫利益」，中國大陸所謂「國家的緊迫利益」也是必須詳加指明的。事實上，有大陸學者的研究指出，人們往往對人口問題作簡單化的理解，例如：將人口問題只是歸結為人口數量問題，而數量問題又常常被簡單化為生育問題。中國大陸的確存在著複雜的人口問題，沈重的人口負擔和巨大的人口壓力，但中國人民大學人口學系教授文龍明確指出：「人口多」並不是「人口負擔」的代名詞。「人口多本身並非中國人口問題得以產生的終極性根源--恰恰相反，它只是中國人口問題在表象上的一個展示。」「人口多的好壞並不是絕對的，而是可以轉化的。……人口多並不全然是"負擔"，也並不絕對是"負擔"。」「人口是人的集合，而不是數的集合。只有將人口視為人的集合，我們才能在看到人口數量的同時，也看到人口的結構和人口的素質，才能對人口變數在現代化過程中的作用有一個綜合的觀照。」[59] 中國大陸關於生育權的書寫是：「為了保證人口質量和控制人口數量，法律往往只賦予結了婚的公民才有生育權。」大陸人口法規普遍規定「一對夫妻可以生

---

59 參見文龍，〈人口多不是人口負擔的代名詞〉，載於〈人口多是中國現在化的主要障礙嗎？〉，《人口研究》（第 20 卷第 1 期，1996 年 1 月）。

育一胎，禁止計劃外或非婚生育。」這就是所謂的「一胎生育權」。這樣狹窄的生育權概念，其實與一般國際上理解的生育權概念是有極大出入的。

　　現今如何正確地理解生育權是必要的。生育權是一項基本人權，每一個具備「位格」（person）60 的人基本上都有選擇生育子女與否以及家庭子女數的權利。但生育權的行使是關聯至生命的誕生，因此有更基源的問題即生命權的歸屬問題。筆者以爲，主張具位格的人具有生育權並不意味亦有墮胎權，因爲墮胎同樣地關係到個別生命（胎兒）的毀滅與終結，同樣有基源的生命權的歸屬問題。每一個人的生命都有個生命的主體「我」，但並不意味生命的主體「我」可以任意對待「我的」身體或生命，畢竟我的生命並非「自有」的。生命的奧秘與神聖很難使人們可以大言不慚地說「那是我的自由」。「自由」被濫用的結果，常使自由的真面目不彰。（真正的）自由不應與「放肆」或「過度的自由」（license）相混。「放肆」是一種選擇某一對象的能力，雖然極可能令人滿足，卻不見得使選擇者的本性完美。例如吃垃圾食物（有害的食物）或閱讀猥褻（色情）的書刊的能力是一種「放肆」，

60　波其武（Boethius, 480~ 525）將「位格」（拉丁文：*persona*；英文：person）界定爲「理性本性的個別實體」（拉丁文：*Naturae rationalis individua substantia.*）。多瑪斯（St. Thomas Aquinas, 1225~ 1274）基本上也採取這個觀點，認爲位格是「理性本性上的自立體」，並且指出位格是「整個本性中最完美之物」。據此，位格必須－是「理性的」，－是「個體」；滿足此界說的存有有造物主、天使及人二類受造物，若論及道德實踐，則僅及於人的位格，或簡稱爲「人格」。

但不能算是「自由」（freedom）；因爲吃垃圾食物或閱讀猥褻的書刊並不會使一個人更人性，甚至他們的這些作爲正違反了他們的人性。真正的「自由」，對反於「放肆」，無需外在或內在的必然性，是一個人去追求足以滿全他本性的善事物的一種能力。正如安瑟倫（Anselmus,1033～1109）所言，人真正的自由是一種「不犯罪的自由」。一個自由若是減弱自己，即使出於自願，也是違反自由的本質。61

　　因此，人雖具有生育權作爲人權的一部分，並不意味人有權利濫用它。一個明智的人必須深思熟慮地去選擇、去行動，這個部分是倫理道德教育的重點；而不是藉由國家這個更大的權力主體，假藉「集體人權」之名去限制「個人人權」。前文已說過，人權的基礎奠基於「人性」或「人的尊嚴」上，「人」並非抽象的一般人，而是具體、個別的人，若沒有個人的人權，也就沒有所謂的「集體人權」。是否存在有與（個人）人權相對立的集體人權是值得懷疑的。作爲一個積極的權利，生育權包括要求政府相關的只是教育，以便人們能夠在生育問題上作出負責任的選擇，而且是不悔的選擇。對於家庭計劃或計劃生育上，筆者以爲政府或國家應做及可做的是教育與宣導，而非禁制與代爲決定。中國大陸爲減少人口的出生率，推行教育是一個比目前人口控制政策更爲行之有效且根本解決之道。

---

61 參見本書第一章〈從自由意志論自由〉，頁 17-18。

第四節　結　論

一、

　　中國有一種美酒，名為「女兒紅」，當一個女兒誕生，家人埋下一罈酒，等她年長出嫁時，便開啓這香醇的美酒，與親友歡慶；卻也有些女孩在世上停留幾天，便去世了，那罈爲她準備的酒也被挖掘出來，家人含淚啓封，爲紀念夭折的女孩，這酒稱爲「花凋」……。原來中國人始終是把女孩當成鮮花一樣嬌養的。《詩經》有〈桃夭〉一章，形容于歸女子如桃花般的明媚妍麗，並寄予衆人無限的祝福與關愛。誰知，這樣的歌謠，竟變調了！在今天的中國大陸，有多少女嬰尚未出世就已被無情地選擇捨棄了？有多少女嬰出世未久就被人爲地溺殺了？又有多少女孩終其一生無法取得合法的身分證，淪爲黑戶氓流？……這些人倫悲劇的頻頻上演，就只是因爲中國大陸厲行的人口控制政策--一胎化政策所激化出來的。

二、

　　人口問題是個科學問題，關涉經濟、社會、政治、文化等各層面，需要人口學專家以科學實事求是的態度面對解決；也別忘了，人口問題還是「人」的問題，關涉人性、倫理、哲學、甚至宗教信仰等層面。雖然，如何制訂和執行人

口的政策和方案是每個國家的主權，中國大陸也據此強調
「要與本國法律和發展重點相一致，還要充分尊重各國人民
的宗教道德觀念和文化背景」。[62] 但這並不表示一個國家就
有了制訂人口政策的絕對權力,而僅意味國家有責任和義務
制定一個符合國民利益福祉且合理人道的政策。而且，中國
從來就不是一個唯法獨尊的民族，中國人講求的是人情法理
的均衡圓融，倫理關係的和諧才是真正的圭臬。中國文化的
主流儒家素以「正德、利用、厚生」作爲政治哲學的最高智
慧，中國人重視生命的態度也多在先哲經典中不斷呈顯。縱
使現今的中國大陸亟思發展突破，欲擺脫貧窮落後，堅持發
展權也是一個普遍的、不可剝奪的權利；可是，別忘了制訂
和執行人口政策和方案時仍要遵循國際上公認的人權原
則，充分保護個人的權利。一個個人權利無法伸張的國家，
我們很難贊同它是個符合現代化特性的民主、自由國家。也
就是說，在堅持發展權的同時，也要顧慮到作爲一個有尊嚴
的人的人權。

三、

　　筆者瞭解：人口作爲國家基本要素之一，其數量、素質
及分佈，關係國家之發展與社會之福祉。中國大陸的人口問
題的確必須以審慎的態度來處理面對。筆者雖然十分同情中
國大陸爲減少人口增長所處方的一胎化猛藥，但經過前文對

---

62 參見涂平,〈國際社會對人口與發展問題認識的演變〉，載於《人
　口研究》（第 19 卷第 1 期，1995 年 1 月），頁 26。

人口政策的倫理思考後，也不得不提醒中國大陸是否願意承受一胎化政策引發的一連串社會問題及倫理難題。現在，或許我們首先看到人口「多」的問題，未來，我們面臨的可能是生育率驟降而產生的其他更嚴重問題。再者，「人」並非只是具有生物學意義或社會學意義的人，人更是具有理性、尊嚴、自由的位格，人文的世界當中更要求倫理價值的優位。物質文明及社會的發展固然重要（水平的面向），人文、人性的提昇與進步更是人類的永恆追求（垂直的面向）。人這種存有是整全的人，不是比較高級的動物，人永遠只能被視爲目的（end）而非工具手段。如果將「人」的基源問題釐清，我們在訂定政策時就會更合理些。

參考書目

《論語》。

《孟子》。

《中庸》。

《墨子》。

人口研究編輯部，〈對一種新的發展觀－以人的全面發展爲中心的討論〉，《人口研究》，第 20 卷第 2 期，1996 年 3 月。

文龍，〈人口多不是人口負擔的代名詞〉，載於〈人口多是中國現在化的主要障礙嗎？〉，《人口研究》，第 20 卷第一期，1996 年 1 月。

台灣省家庭計畫研究所，《新婚家庭計畫手冊》。

何博傳，《山坳上的中國──問題、困境、痛苦的選擇》，貴
　　陽：貴州人民出版社，1989 年初版。

李文朗，《台灣人口與社會發展》，台北：東大，民 81 年 1
　　月初版。

李涌平〈胎兒性別鑒定的流引產對出生嬰兒性別比的影
　　響〉，《人口研究》，1993 年 5 月。

沙吉才主編，《改革開放中的人口問題研究》，北京：北京大
　　學出版社，1994 年 9 月初版。

林火旺，〈多元價值和「對」的優先性〉，存在與價值研討會，
　　台大哲學系，1991 年 5 月。

邱仁宗，〈生命倫理學在亞洲：有什麼特點？〉，台北：國立
　　中央大學文學院哲學研究所，應用倫理學區域會議，
　　1997 年 6 月 5、6 日。

若林敬子著，周建明譯，《中國人口問題》，北京：中國人民
　　大學出版社，1994 年 10 月初版。

唐熱風，〈中國的人口政策：好的選擇與對的選擇〉，應用倫
　　理學區域會議，台北，國立中央大學文學院哲學研究
　　所，1997 年 6 月 5、6 日。

宮澤俊義著，永明譯，《人權概論》，台北：八十年代出版社，
　　民 68 年 8 月初版。

張保民，〈人口爆炸－中國大陸社會的最大危機〉，《中國大陸
　　研究》，第 38 卷第 2 期，1995 年 2 月。

陳文團，〈馬里旦的整全人文主義〉，《哲學與文化》月刊，
　　第 25 卷第 4 期，1998 年 4 月。

陳勝利，〈人口與發展是全球關注的焦點－開羅國際人口與

發展會議一般性辯論側記〉,《人口研究》,第 18 卷第 6
　　期,1994 年 11 月。

曾毅、顧寶昌等,〈我國近年來出生性別比升高原因及其後
　　果分析〉,《人口與經濟》,1993 年 1 月。

程超澤,《中國大陸人口增長的多重危機》,台北:時報,1995
　　年 10 月 20 日初版 1 刷。

楊勝萬,陶意傳,〈對聯合國文件中有關計劃生育概念的分
　　析與評價〉,《人口研究》,第 20 卷第 2 期,1996 年 3 月。

楊遂全,《中國人口法律制度研究》,北京:法律出版社,1995
　　年 12 月第 1 版。

賈威、彭希哲,〈中國生育率下降過程中的出生性別比〉,《人
　　口研究》,第 19 卷第 4 期,1995 年 7 月。

羅秉祥,〈生育倫理學問題初探〉,載於《哲學雜誌》第 12
　　期,台北:業強,1995 年 4 月出版。

蘇榮桂,〈關於人口計劃的理論和實踐問題的探討〉,《人口
　　研究》,第 19 卷第 5 期,1995 年 9 月。

涂肇慶譯,John R. Weeks 著,《人口學》,台北:桂冠,1990
　　年 8 月初版。

Banister, J., Recent Mortality Levels and Trends, Paper
　　prepared for the population Association of America,
　　Denver, May 1992.

Frankena, William. K. *Ethics*. New Jersey: Prentice-Hall,
　　Englewood Cliffs, 1963/1973, 1981 年台北雙葉書局翻
　　印。

Hull, Terence H. *Recent Trends in Sex Ratio at Birth in China*,

Population and Development Review, 1990, Vol.16, No.1。

Johansson, Sten ＆ Nygren, Ola. *The Missing Girls of China : A New Demographic Account*, Population and Development Review, 1991, Vol.17, No. 1.

第五章　我國倫理教育與儒家思想

——當前倫理教育的哲學省思*

- ・　引言
- ・　道德優先論
- ・　道德教育如何可能？
- ・　道德教育的主要內容
- ・　結　論
- ・　附　錄　我國道德教育的實施概況

＊ 本章主要內容原載於《哲學與文化月刊》第 24 卷第 4 期（275），
1997 年 4 月，頁 337-350。收錄至本書時作了部分刪改。

【內容摘要】

本文旨在藉由回歸儒家思想的真精神，來檢視我國自民國以來，尤其是當前的道德教育。全文分成三個子題，首先指出儒家作為成德之教，首重道德，可說是一種「道德優先論」；其次，藉由詢問「道德教育如何可能？」來提點出儒家的特殊人觀--人性論，尤其希冀在傳統孔孟儒學之外，也將王船山「理氣合一」、「理欲合一」、「日生日成」、「繼善成性」的人性思想之哲學貢獻開發，並與當代道德教育之顯學——郭爾堡（Lawrence Kohlberg, 1927~ 1988）的「道德認知發展理論」作一理論初步遭遇之嘗試；再者，從「何謂道德？」或「應如何詮釋道德？」的角度探討道德教育應「教什麼？」指出道德教育應以德行的培育為主，但亦不可忽視原則義務的講求，施教上應二者並重，基本內容則以「仁愛」與「正義」二根本原則及德行為主。以上各點，儒家思想均極具參考性的文本基礎之價值，值得當代中國人不斷合理及創造性地詮釋。

【關鍵詞】

道德教育（moral education）、儒家（Confucianism）、人性（human nature）、潛在課程（hidden curriculum）、王船山（Wang Chuan Shan）、郭爾堡（Lawrence Kohlberg）、認知發展論（Theory of the Congnitive Development）、德行倫理學（Virtue Ethics）、仁愛（Beneficence）、正義（Justice）

第一節　引　言

現代世界最顯著的特徵是混亂。尤其是價值的混亂、道德的混亂（Moral Bewilderment）。[1] 許多人並不知走向何處，也不知為何向前走，甚至根本不想知道這些事情。前二者是無知，後者則是冷漠。現代世界為何混亂？普世為何道德敗壞？學者曾從哲學觀點歸結出「虛無主義」（Nihilism）此一全球性的普遍的心靈困境。[2] 為此，人在現世存在處境當中無法堅持一值得畢生奉獻的理想，價值與道德如同無根的浮萍。尼采說過，「哲學是文化的醫生」，當社會文化生病的時候，哲學不得不依憑它的判斷，給予合宜的處方（prescription）。這個處方就是：重建世界觀（Weltanchauung）以及加強倫理道德教育。每個哲學家都是在從事建構世界觀的工作，因此世界觀可說是一切思想行動的基礎，指導人的生活。至於加強道德教育，據筆者觀察，至少是我國長期呼籲的一環。以下，在進行本文主體之前，先釐清幾個相關的語詞及概念。

（一）在外文中，「道德」（英：moral；德：Moral；法：morale）
　　　與「倫理」（英：ethics；拉：ethica；德：Ethik；法：

---

1 英國社會哲學家 Ginsburg 語。參見高銘輝，《公民與道德》（台北：台灣書店，1968），頁 11。
2 沈清松，〈德行倫理學與儒家倫理思想的現代意義〉，收於《哲學與倫理》上冊（台北縣：輔仁大學出版社，1995 年 12 月初版），頁 226。

ethique）有不同的語源。「道德」的語源是拉丁文的
moralis；而「倫理」的語源則是希臘文的 *ethikos*。二
字的原義均爲風俗習慣。在中文中，就古代典籍考
察，「道德」與「倫理」二詞也並不完全一致。倫理
指人倫之理，也就是各種人際關係中所共守的規範。
「道」與「德」二字意義不同，分稱與合稱亦有所不
同。通常「虛無無形」之「道」可理解爲「天地萬物
所以生之總原理」，「化育萬物」之「德」可理解爲「一
物所以生之原理」。[3]「道德」通常關涉個人，「倫理」
則關涉群體。如《大學》所言之「誠意、正心、修身」
屬於道德，而「齊家、治國、平天下」則屬於倫理。
至於西方哲學，在康德（Immanuel Kant, 1724~1804）
以後，德國觀念論的哲學家便將二詞予以區分，如謝
林（Schelling）、黑格爾（Hegel）均然。[4]大致說來，
如同中國哲學，「道德」關涉個人，而「倫理」則是
涉及社會群體。二者雖密切相關，然層次有別。

（二）現通用的「道德哲學」或「倫理哲學」，乃翻譯拉丁
　　文 中 的 *philosophia Moralis*，英 文 作 Moral
　　Philosophy，本義爲風俗習慣之學，但早已不足以說
　　明倫理道德的本質了。「道德哲學」亦可稱爲「倫理
　　學」（Ethics）。

---

3 參見韋政通，《中國哲學辭典》（台北：大林，1980 年 5 月再版），
　〈道與德〉條目，頁 665。
4 參見沈清松，〈對應快速科技發展的道德教育之人類學基礎〉，《哲
　學與文化》月刊第 12 卷第 6 期（133），頁 31，1985 年 6 月。

（三）即使在當代，歐美諸語言日常會話裡，仍無法完全明確分辨「倫理」和「道德」二字，二者仍常被同義混用，但關連到「教育」時，所用的均是 moral education，而極少用 ethical education。[5] 為此，本文原題為「道德教育」。然而，事實上，在中文裡，對「道德教育」與「倫理教育」並未嚴加區分，甚至有人將之合稱為「倫理道德教育」，[6] 亦可簡稱為「德育」。由於近年來時代因素之影響，討論倫理道德教育議題尤其著重「人」與「他者」之關係，此「人」與「他者」可以是人與人之人際之間，或人與自然、人與物、人與動物、人與上帝（神）之間……等等，這些更好說是「倫理」，故本文現題為「倫理教育」。

（四）教育的主體是人，「教育」一詞不應僅限於狹義的教導與學習的制度化歷程，教育一如黑格爾所言的「陶成」（Bildung），乃邁向普遍之歷程。道德教育可說是一種實踐的陶成歷程，一種提昇整體人格邁向其本具之普遍--即其人性——之方式。[7] 道德教育的目的即在陶成人格、滿全人性、彰顯人性，而非僅教出一群不敢違法犯紀或僅僅外在行為合乎社會規範的人而已。人性之中雖具道德性，人性亦要求道德，但道德

5　參見村田昇編著，林美瑛、賴昭香合譯，《道德教育》（台北：水牛，1992），頁 19。

6　參見國史館、中華民國史教育志編纂委員會編印，《中華民國史教育志》（初稿）（台北縣：國史館出版發行，1990 年 6 月初版），頁 184。

7　同註 4。

爲人，而非人爲道德，道德教育不宜孤立地看待，而當在「全人教育」[8]的觀點下定位。

本章題爲「我國道德教育與儒家思想」，旨在藉由回歸儒家思想的真精神，來檢視我國自民國以來，尤其是當前的道德教育。全文分成三個子題，首先指出儒家作爲成德之教，首重道德，可說是一種「道德優先論」；其次，藉由詢問「道德教育如何可能？」來提點出儒家的特殊人觀--人性論，尤其希冀在傳統孔孟儒學之外，也將王船山思想之哲學貢獻闡發，並與當代道德教育之顯學--郭爾堡的「道德認知發展理論」作一理論初步遭遇之嘗試；再者，從「何謂道德？」或「應如何詮釋道德？」的角度探討道德教育應「教什麼？」指出道德教育的主要或基本內容。至於我國道德教育自民國以來的實施狀況，由於多爲敘述性質，並非理論或思想之辨析，筆者將之整理置於【附錄】，敬請參閱。

第二節　道德優先論

在人類教育史上，教育與道德教育自古即有密不可分的關係。談論教育的人，沒有不重視道德教育的。如赫爾巴特（Gohann Herbart, 1776~1841），在教育史上被認爲是創立了科學的教育者，即認爲「德性」是一個人瞭解教育上的一切

---

8 近年來在大學中，尤其是在教會創辦的大學中，倡導所謂全人教育，除了國策中所定的德、智、體、群、美五育之外，尚加上「靈」育，即宗教教育。

課題的唯一概念，也說過「道就是所有的教育目的之名稱」。[9]
此即是說，離開了道德，就沒有教育可言，這種教育學主張被
稱爲「道德至上主義」（moralismus）。這樣的說法在我們的
傳統中並不陌生，早在二千多年前的儒家宗師孔子即說過
「弟子入則孝，出則悌，謹而信，泛愛眾，而親仁，行有餘
力，則以學文」（《論語·學而 1.6 》）。一個人一生當中最
要緊的是有沒有道德，而非其他，道德實踐亦優先於學問知
識的探求。這也奠定了儒家思想乃成德之教的精神義蘊所
在。觀我國〈國民教育法〉第一條的規定，也指出國民教育
的目標在培養德、智、體、群、美五育均衡發展的健全國民。
德育居於五育之首，這就理論面及政策面而言，是正確的，
也符合儒家之爲我國道德教育的基型。問題在於我國的道德
教育究竟如何被敘述出來？

　　一言以蔽之，我國的道德教育通常被政府視爲一種政治
的編制而已。教育如果只是一種政治編制，其間現實與理想
的嚴重落差可想而知。儒家所教示人們一生的理想，在於努
力成爲「君子」，宋儒周敦頤《通書·志學章第十》說：「聖
希天，賢希聖，士希賢。」在道德上，人是不能自滿的，即
使到了聖人的境界，也還要「希天」、嚮往天的境界。爲何
儒家會有如此的想法？這是因著儒家對人之哲學理解上，也
就是人性論上，以爲人的本質即「道德存有者」或「道德負
載者」，突出人之爲「倫理人」這點上。[10] 可是事實上，我

9　同註 1，頁 29。
10 請參見拙著，〈德行與原則--孔、孟、荀儒家道德哲學基型之研
　　究〉一文，收於《哲學與文化》月刊第 19 卷第 12 期（223），

們所處的社會——一個口口聲聲要發揚固有傳統文化的大環境，從政府到民間，試問有幾個人以「成為有德者」或「成為君子」當作一生的志向？有幾個父母希望他的子女是「道德家」、「實行家」？而非只是科學家、企業家、醫生或其他事業有成的人？是不是有很多的台灣父母，因為升學主義的壓力，只要求子女把書念好就行了，其他像灑掃等生活勞動就暫擱一旁？筆者想指出的是，現今的台灣有多少人是真正的儒家？「儒家」是否永遠只是歷史上的或經典上的一種理想？只是教科書或文本（text）必要的根據？儒家思想並未如國策所言，成為社會上真正的精神力量與中心思想。社會擷取的是「萬般皆下品，唯有讀書高」的陋儒心態，普羅大眾、學校當局在意的是升學考試的勝利（重智主義），社會形構的是科技掛帥，真正想為人文道德奉獻的人實在太少。荀子說過：「蓬生麻中，不扶自直」（《荀子‧勸學篇》）。這指出環境也是影響道德教育成效的一種外在力量。從國小四、五、六年級的「生活與倫理」、國中的「公民與道德」、高中一、二年級的「公民」等課程的設置看來，不可謂政策上不強調道德教育，但成效呢？縱使課堂上講得頭頭是道，也就是「顯著課程」十分精彩，若出了課堂以外的廣大生活環境，包括家庭、學校及社會的道德氣氛不足，則學習亦枉然。而這些課堂外的廣大生活環境，當代美國著名的教育學家郭爾堡（Lawrence Kohlberg, 1927~1988）稱之為「潛在課程」（hidden curriculum）。11 郭爾堡所謂的「潛在課程」即

　頁　1088-1089，1992 年 12 月。
11 Lawrence Kohlberg, "Stage of Moral Development as a Basis for

相當於儒家所言的「環境」，也就是說，道德教育要真正落實的其中一個重要因素是我們所處的社會環境必須是真正「重德」、「好德」其至「樂德」的。這也就是說，我們必須重整我們的「世界觀」，我們必須根本地思考我們教育的目的，破除重智主義的長期制約。

第三節　道德教育如何可能？

（一）「道德教育如何可能？」的問法也可改爲「道德是否可以被教？」按照前文對教育的界說，也可改成「道德是否可以被陶成？」如果道德不可被教或被陶成，那麼道德教育也就不需要了。因此，這個問題就是在找尋道德教育的哲學基礎。道德或道德教育的主體在人，因此，道德教育的基礎指向哲學人類學（Philosophical Anthropology）或人之哲學（Philosophy of Man）上。儒家的人性論在此提供了不錯的詮釋。儒家所理解到的人，都首先指涉「倫理人」，強調人的「可完美性」；如孔子所言之「有能一日用其力於仁者乎？我未見力不足者」，[12] 孟子之「人皆可以爲堯舜」[13] 及荀子之「塗之人可以爲禹」[14] 等。儒家以爲「仁者人也」，最堪稱爲人者即「仁」，也就是人的道德性正說明了人的本

Moral Education," In C.M. Beck, B.S. Crittenden, and E.V. Sullivan, (Eds.), *Moral Education: Interdisciplinary Approaches*(New York: Newman Press, 1971).
12 《論語・里仁 4.6 》。
13 《孟子・告子下 2》。
14 《荀子・性惡》。

質。人的可完美性指出每個人都「能夠」成為聖人或君子（有德者），也因此儒家才責求人「應該」成為聖人或君子（有德者）。這正符合倫理的基本原則：「應該蘊含能夠」（"should" implies "can"）。也因爲此可完美性──即道德性，乃「仁義禮智根於心」，[15]「非由外鑠我也，我固有之也」，[16] 是人人所普遍含具者，於是道德性有了人性的基礎，甚至道德性即人性，道德教育成爲可能。儒家作爲我國道德教育的基型，通常以溯源孔孟學說、返回孔孟精神爲主，這個大方向是不錯的，但理論的周全與詳盡方面，筆者願意提議明末清初的大儒王船山，[17] 尤其王船山的人性論[18] 更適合作爲道德教育的人類學基礎。

在思想史上，王船山不滿佛老「主虛而忘天之實」之弊，亦不滿宋明諸儒承佛老之論心性，認爲他們不免只關注到形而上之探究，而忽略了實存的身心性命。無論濂溪之「寂感之神」，程朱之「理」，陽明之「心」，都是離開了實存之氣而超越地、抽象地談。然「實可以載虛，虛不可以載實」，[19] 故承橫渠力主本體論之「氣本」立場。船山的人性論也就在

15　《孟子・盡心上 21》。

16　《孟子・告子上 6 》。

17　王船山（1619~1692 年），原名王夫之，字而農，號薑齋，湖南衡陽人。崇禎舉人。明亡，舉兵抗清，失敗後，隱伏於湘西苗瑤地區荒岩絕壑之中，從事著述。晚年歸居衡陽之石船山，學者因稱船山先生。早年即以博學多識著稱，「於六經皆有發明」。

18　有關王船山的人性論學說及其論證，請參見拙著〈從王船山的本體論看其人性論〉一文，收於《哲學與文化》月刊第 20 卷第 9 期（232），頁 923 至 934，1993 年 9 月。本文不予詳述。

19　王船山，《周易外傳》卷三。

氣本論的基礎上被揭示，也因此呈現出與前儒主心或主理所揭示的人性十分不同的面貌，而獲致一實學實存的人性內涵。這樣本於實學精神所揭示的實存人性，既保有承襲了前儒「性即理」的命題，又補充說明了理乃「理乎氣而為氣之理」，[20] 於是理不再是虛理，而為實理；「性即理」不再是空洞的形上命題，不再僅指涉到人性中的理性因素，而據此粗略地結論出這就是人性（human nature）或人的本質（essence）。船山揚棄了此一主智的儒學傳統，強調「理欲合一」，人性中有理有欲，仁義禮智之理是性，聲色臭味之欲亦是性，理欲不必然對立而可合。「性即理」之「理」即為一活潑潑的、生動的、實存的「合欲之理」。船山於此正視了真實的人性，人是有血有肉的，有理智、有意志、有情感的存有，人性有欲的事實一點也不會減損人作為宇宙中「秀而最靈」之存有，事實上，道德實踐正是於其中展開，人性中理欲的相互合作正可成就真正的倫理道德。於是，儒家倫理學不必然要採取以理性為唯一本質的人性觀預設，似乎可考慮一互動的、二而一的、辯證的、整全的人性內涵模式，船山哲學提供了我們這條新路。

再者，船山一反類於西洋理性主義傳統之「本質先於存在」命題之儒學人性論傳統，反對人性或人的本質乃先天固定之說。船山的反對是具有積極性意義的，人性一旦一受成例，即在某種程度上相容於決定論（determinism）。船山避開了這點，雖然他也同意先天或天生所受之命為性，但他並

20 王船山，《讀四書大全說》卷十。

不以此本質義或先天義去理解人性、範限人性，更強調人獲取實際存在後，天命於穆不已，人性亦有恆久不息之一面。於是，人性不是初生之頃即固定不變者，而是人人必須窮盡其一生去經營者，人性於是在時間中，在歷程中，在歷史中且不斷發展中，人性的實存內涵仰賴個人的自由意志抉擇與實際的力行去填充，人性日生日成，直至死前的那一刻。這樣的人性觀所開展出的倫理學與人生哲學，將會是一重後天人為努力、積極進取者，為當今道德教育可說具有正面意義。甚且，船山在「天」與「人」、「道」與「性」之間，安置了「善」作為其中的溝通中介。道為善源，道大而善小；善為性所資，善大而性小。加上繼之者善，成之者性，於是善外無性，性必為善。如此一來，船山保留了儒家正統的性善論，也為倫理學或道德善找到了人性（善）的基礎。

（二）當代西方學界對「道德教育如何可能？」此一問題的詮釋最具影響力的是「道德認知發展理論」（The cognitive-developmental theory of moral moralization），或稱為「道德判斷發展理論」（The moral judgment-developmental theory），可說是當今美國研究道德教育的顯學。此理論係由郭爾堡，源自杜威（John Dewey, 1859~1952），承襲瑞士心理學家皮亞傑（Jean Piaget, 1896~1980）的研究，擴充發展而來。此理論所以稱之為「認知」（cognition），乃因此種理論承認，道德教育與知識教育一樣，其基本原理在於刺激兒童對道德問題和道德決定從事積極主動地思考。且此理論所以稱之為「發展」（development），乃因此理論將道德教育的目的，視為是經由道德階段（moral stage）的移動（movement）。

21 按照郭爾堡歷經二十年的縱斷及泛文化的研究，證實道德認知發展的確有「序階性」，他將個人道德認知發展分爲三個層次（level），每一層次有兩個序階（stage），共有六個文化上普遍可辨識的道德認知發展序階，即所謂「三層六階」論。首先是道德成規前層次（Pre- conventional Level）；第一序階以懲罰與服從爲導向（The punishment and obedience orientation），第二序階以工具性相對主義者（The instrument relativist orientation）或自我利益爲導向（Self-benefit orientation）。其次是道德成規層次（Conventional Level）；第三序階以人際關係和諧（The interpersonal concordance）或好男孩－好女孩（"good boy-nice girl"）爲導向，第四序階以法律和秩序爲導向（The "law and order" orientation）。最後是成規後、自律或原則性層次（Post- conventional, Autonomous, or Principle Level）；第五序階以社會契約合法性爲導向（The social-contract legalistic orientation）；第六序階則以普遍的倫理原則爲導向（the universal ethical principle orientation）。郭爾堡和杜瑞爾（Elliot Turiel）還曾在第一層次之前界定有一個「零序階」（Stage 0），稱之爲「道德前序階」（Pre-moral Stage）或「自我中心判斷」（Ego Centric Judgment）。此外，郭爾堡於 1974 年四月在美國俄亥俄州克利夫蘭市（Cleveland, Ohio）全國天主教教育協會研討會（National Catholic Educational Association Convention）發表演講時，曾宣佈他正在探討將建立第七序階。郭氏把第七序階敘述爲「信仰導

---

21 參見沈六，《道德發展與行爲之研究》（台北：水牛，1986），頁51。

向」（The faith orientation）序階。此一序階主要探討個人對
「生命的最高意義是什麼？」的問題。22

　　我國儒家雖未嘗明白提出認知發展理論，然孔子曾說
過：「唯上知與下愚，不移」（《論語·陽貨 17.3》）；也對人的
質性與「學」的關係作過「生而知之」、「學而知之」、「困而
學之」及「困而不學」的四種區分（《論語·季氏 16.9》）；這
兩段話都是針對倫理道德而言的。孔子指出有種「生而知之」
的「上智」之人，是「聖人」，是道德天才，如堯、舜；孟
子也說過：「堯、舜，性之也」（《孟子·盡心上 30》），就是類
似的意思。還有一種「困而不學」的「下愚」之人，如孔子
之言「朽木不可雕也，糞土之牆不可杇也」，所有學習亦枉
然者。除了這兩種少數的極端無法有實際教育成效之外，廣
大的中間層級是可以「移」的，正是教育的對象；這說明了
儒家在理上是可相容於或接受道德認知發展理論的。又，總
結前儒思想之王船山之人性論學說（如前述），蘊涵了人性
發展說，等於在哲學上呼應了某種道德發展說。

　　根據道德認知發展理論，道德認知與道德行為有密切關
係。兩個外表看來相同的行為，其背後的推理可能是迥異
的；因此，分析個人道德判斷或道德行為的理由，就顯示出
個人的道德觀，也顯示出個人道德認知的序階及成熟度。成
熟的道德認知是成熟的道德行為的先決條件；但道德認知僅
是道德行為的必要條件，而非充分條件；道德認知與道德行
為是調和的，且形成發展的次序；個人的道德認知愈適當，

---

22 參見謝明昆，《道德成長的喜悅》（台北：1990 年 7 月再版），
　　頁 171-188。

愈知道真正倫理的行為。[23] 道德認知發展是循著上述三層六階前進，不會躐等，卻可能停滯不前；處於某一序階的人可能會被高一或高二序階的想法吸引，但不會被較低序階的想法吸引。依此，支持認知發展理論的教育學者認為，道德教育的目的不是勉強學生接受外來的規範或模式，而是在於促進或刺激其道德認知與判斷能力的自然發展，向著更高序階發展；最後，企圖激起兒童發展出對正義感的鑑賞以及對普遍性正義原則之瞭解。他們認為，道德認知衝突愈多，道德發展愈有可能。因此，在教學方法上，他們側重道德兩難困境問題的討論式教學法。在道德教育上，注重道德討論是正確的。西方早在蘇格拉底（Socrates, 469~399 B. C.）時，就採用「反詰法」或「諷刺法」，追問路人有關「德」、「正義」等諸重要概念的意涵，經由層層詰難，指出對方的無知；再用「催生法」或「產婆術」，將潛藏於人們心中的「德」或「正義」的普遍概念，經由重重辯證，引導真知出現，如同新生兒的娩出般。在中國，也早在孔子（551~479 B. C.）即著重道德討論。孔子跟弟子談仁、義、禮、孝、勇等德目，談君子、聖人之道，和弟子談論志向，[24] 討論古人之德，如伯夷、叔齊、管仲等。 孟子亦然，他說：「予豈好辯哉！予不得已也！……」[25] 孟子以為在楊、墨之言橫行的當時，除了道德討論外，還須道德辯論，如義利之辨（辯）、王霸之辨、仁義內外之辨、人性之辯等均頗負盛名。傳統儒家因為

---

23 同註 21，頁 227-233。

24 《論語・公冶長 5.26》及《論語・先進 11.26》。

25 《孟子・滕文公下 9》。

主張「仁內義內」，[26] 道德性是人天生即有的，在道德教育上，不主張強加或灌輸，而應啓發與導引。除了言詞上之教誨或道德認知之提升外（言教），更注重身體力行與潛移默化（身教），故傳統儒家之大師們也是道德實踐的導師（大儒、雅儒）。

第四節　道德教育的主要內容

肯定了道德教育之可能之後，進一步的問題即是「教什麼？」即：什麼是道德教育的主要或基本內容？這涉及教材編撰者背後所具有的或採取的道德哲學及道德教育觀，其根本問題在於應該如何詮釋道德。

西方規範倫理學（Normative Ethics）將倫理學依所關注之道德判斷種類之不同，區分爲「義務倫理學」（Deontic Ethics）及「德行倫理學」（Aretaic Ethics）。其中義務倫理學以「行爲」（action）爲探討之要點，注重道德主體——人——「去做」（to do or doing）的問題，並按道德判準之不同區分爲以「道德行爲自身價值」爲主的「義務論」（Deontology），及以「行爲效果之非道德價值」爲主的「目的論」（Teleology）。至於德行倫理學則以道德主體之人格、動機、品性、意向等作爲探討之要點，注重道德主體「成爲」或「是」（to be or being）的問題。因此，我們可以將西方規範倫理學歸納成三大古典流派：一是以康德（ImmanuelKant,

---

26 《孟子・告子上 4 》、《孟子・告子上 5》。

1724~1804）爲首的「義務論」；二是以效益主義（Utilitarianism）爲主的「目的論」，此派始於邊沁（Jeremy Bentham, 1748~1832），彌爾（John Stuart Mill, 1806~1873）集大成；三是以亞里斯多德爲代表之「德行倫理學」。

　　在倫理學史上，有的學者強調「原則」的建立或「義務」的講求正決定了道德本質所在，因此成就了「義務倫理學」或「原則道德」（Morality of Principles）；有的學者強調「德行」的學習與實踐方是倫理的首務，因此成就了「德行倫理學」或「特性道德」（Morality of Traits）。這兩種倫理學是否那一個更爲基本？ 是個開放待決的問題。基本上，吾人同意法蘭克納（Willam K. Frankena）說法：「沒有特性的原則是空虛的，沒有原則的特性是盲目的」（Principles without traits are impotent and traits without principles are blind）。[27] 道德很難被理解成僅僅安於符應原則，而絲毫不考慮道德主體的意願與自覺，如此一來，道德僅具律法的字面意義而缺乏其內在精神意涵；因此，「成爲」或「是」的德行倫理是重要的。另一方面，道德亦很難被理解成僅具某些在特定情境會以特定方式行爲的傾向或氣質，而不考慮該訴諸那些原則，如此一來，道德僅具不依原則而行爲的心向，很難知道哪些特性該鼓勵或教導。因此，吾人可不視此二種道德爲吾人只能任擇其一的對立道德，而將它們視爲同一道德的兩面，二者之關係是互相補充、相互印證的。就每一條義務原則而言，存在著與之相對應的品質特性或德行；就每一種品

---

27 William F. Frankena, *Ethics* (Englewood Cliffs, N. J. : Prentice-Hall, 1963), p. 65.

質的德行而言，同樣存在著與之對應的義務原則。例如「仁愛」原則（principle of beneficence 對應於「仁意」之德（virtue of benevolence），「正義」原則（principle of justice/ the principle of equal treatment）對應於「公平」之德（virtue of justice / the disposition to treat people equally）。但顯而易見的是：道德特性或德行比道德原則豐富得多。我們只要想到孔孟提及的「殺身成仁」、「舍生取義」，以及當代的史懷哲醫生、德瑞莎修女等事蹟，我們就明白那樣高尚的情操與人格，絕非任一原則可與之對應。因此，一個合理且圓滿的道德哲學除了要有符應義務的要求之外，還須包含人們能追求理想的領域，因爲在正直的人及善人之上，真的還存有更超越的聖人，可以激勵人們成爲更好的人或做出更多有意義的行爲。[28] 以此觀我國傳統儒家的道德哲學，我們發現它基本上正是兼重德行與原則的綜合型態，若強爲之分辨孰先孰後、孰本孰末，筆者以爲應理解成以德行倫理爲主，兼採義務論倫理之綜合型態。[29] 這種綜合型態正可避免任一純粹型態所造成的理論與實際困境，故爲一較理想的道德哲學基型。首先，儒家並未因嚴辨義利，以「義」之道德意義作爲道德行爲的最終判準，而忽略德行之培養，事實上，「義」除了是「宜」、「循理」之外，更轉化成一種「義」德，爲一種修養境界；儒家亦未因講德行、道德人格，而忽略道德行爲或原則的正當性之要求。原則或行爲講求的是「是」、「非」或「對」、「錯」

28　參見拙著，《德行與倫理─多瑪斯的德行倫理學》（台北：哲學與文化月刊雜誌社，2003 年 2 月），頁 26-29。
29　同註 10，文中對此觀點有詳盡論述。

之別，德行講求的是「善」、「惡」或「好」、「壞」之分，傳統儒家的道德哲學並未疏漏任何一個範疇，以倫理學的觀點看來是周延的。其次，以德行倫理為主，兼採義務論倫理之基型有何積極且正面之意義呢？筆者以為關鍵在於德行與義務的關係上。德行是人本有善性的自覺與完成，由於有發揮善性、培養德行之要求，因而才有道德義務的要求。道德若只是出乎義務，那只是「循理」，只是要求人性行為的合理性與合宜性，只能溯源於「道德理性」，其性質是冷靜的、冰涼的、約束的；如果是「仁心」發動的道德，那就可溯源於「道德情感」加上「道德理性」，其性質就帶有溫暖、自發與喜悅。兩個相同的外在道德行為會因不同的動機而有不同的道德價值，不同的行為理由也正如認知發展論所言，具有不同序階的道德認知及發展（當然，這些通常是不易檢別的）。亞里斯多德界說德行(性)時說道：「德行（性）在人方面是一種性質（性格）：它使人成為一個好人，且使人善於完成他的功用」，[30]多瑪斯（St. Thomas Aquinas, 1224/5~1274）承襲亞氏的說法，他說：「一個德行可使它的擁有者善，且使它的擁有者所做的事善」。[31] 由德行推動的道德行為，道

---

30 參見苗力田譯，《尼各馬科倫理學》，第二卷，第六章，1106a22-23收於苗力田主編之《亞里斯多德全集》（北京：中國人民大學，1992）。英譯本參見 W. D. Ross 譯，收於由 Richard Mckeon 主編之 The basic Works of Aristotle，台北，馬陵。 "the virtue of man also will be the state of character which makes a man good and which makes him do his own work well."

31 參見 Lottie H. Kendzierski, translated from the Latin, *De Caritate* (St. Thomas Aquinas, On Charity), a. 2, Marquette University Press, Milwaukee, Wisconsin, 1984. "a virtue is that which makes

德主體是欣然從事的；僅由義務推動的道德行為，卻可能只是不得不的約束行為，行為者除了擁有原則和具有按原則行為的意志（和能力）外，很可能根本沒有什麼道德性質。因此，無論就道德理論或就道德教育的恆久性來看，以德行倫理為主，兼採義務論倫理的儒家哲學都訴說出相當可貴的真理，值得我們當代中國人再度擷取精華與學習。

筆者以為，在道德教育上，發揚我國固有的優良傳統文化是正確的，經過對儒家思想的合理詮釋後，關於道德教育的基本內容也可大致掌握。縱然我們應以德行的培育為主，但亦不可忽視原則義務的講求，施教上應二者並重。至於是否有幾個基本的原則或德行？筆者受法蘭克納說法的啟發，[32] 認為「正義」與「仁愛」可以作為倫理學的二個根本的原則及德行。多瑪斯完全接受羅馬法學家的看法，以為「正義」即：「一種將每個人的權利歸諸於每個人身上之恆常而不變的意志的習慣」；[33] 作為處理人與人之間的關係之正義，於是要求我們人彼此公平合理對待、予人應得。（仁）愛，更是中西哲學史上都曾關注的課題。在中國，儒家講「仁愛」，墨家講「兼愛」；在西方，從柏拉圖〈饗宴〉篇論愛開始，直到聖若望用「天主是愛」這句話點出了《聖經》的愛

---

its possessor good and renders his works good."

32 同註 27，頁 59。

33 St. Thomas Aquinas, *Summa Theologica* (transted by Fathers of the English Dominican Province, Maryland, Christian Classics, 1981), II-II, 58, 1. "the perpetual and constant will to render to each one his right." 另參見拙著，〈多瑪斯論「義德」之對象與性質〉，收於《哲學論集》第 36 期（2003 年 7 月），pp. 1-34。

的本質達到高峰。在倫理學上，「仁愛」就是要我們行善避
惡、做有益之事而避免做有害之事。人的倫理生活幅度，基
本上就是由「仁愛」與「正義」構成，其他的德行或原則亦
是由此二者演繹或衍生而來。

第五節　結　論

在引言中，筆者曾提及道德教育不宜孤立地看待，而當
在「全人教育」的觀點下定位。瞭解了人是什麼，才能知道
人應該如何。「全人」究竟如何？這是另一個新興的議題，
本文不擬討論。但是，可以指出的是，作為「全人格」的「全
人」一定有個十分重要的核心要素，那就是道德。當我們說
「一個人，先是人，然後才是男人或女人」或「一個人，即
使不做什麼，至少他還要是個人」諸如此類的話語時，我們
都暗含道德性或人性的預設。即使是飄流荒島的魯賓遜，也
都還有他的道德問題；他至少必須面臨與自我的關係（《大
學》、《中庸》所言的「慎獨」），以及與大自然的關係（環境
倫理）雙重問題。再單純不過的人都面臨倫理道德的問題，
更何況近二、三十年來，歷經工業化及現代化過程，面貌已
大幅改變的台灣社會。在家庭、在社會當中，我們有個人道
德、公民道德的要求，在專業領域或職場中，我們有專（職）
業道德的要求。時代的巨變與科技的快速發展，也使倫理道
德的問題愈加複雜。例如，試管嬰兒技術的發明，原本是要
解決不孕症的問題，後來加上精子銀行、卵子捐獻及代母三
重變項，引發了生命倫理與醫療倫理的廣泛爭議。現代人，

在倫理道德上，可得需要「學而時習之」啊！

　　筆者以爲，歷史上從來沒有一個時代像現代，這麼迫切地需要道德教育；因此，重新書寫道德教育是具有時代必要性的。重新書寫是否有個可供參考的文本？筆者以爲儒家思想即是最具參考性的文本基礎。文化是連續而不是斷裂的，儒家作爲中國固有文化的核心，自有其源遠流長的深意。對儒家，筆者的主張不是民族情感式的態度，而是學術開放且理性的。作爲文化源頭活水的儒家、作爲哲學的儒家，當然不是陽儒陰法或陽儒陰陰陽的儒家、不是御用的儒家，而是理想的儒家、真正的儒家。因此，「儒家」不是自明的，也不是常識的，儒家仍需透過當代中國人不斷合理及創造性地詮釋。既然是開放且理性的，當然也是可以不斷批判繼承的；但須注意的是，儒家也不是唯一的。因此，只要是合理有效的理論，均可不斷加入，相互遭遇。我們不要忘了，道德教育的終極目的，在陶成人格、滿全人性、走向全人。

參考書目

《論語》。

《孟子》。

王船山，《讀四書大全說》

王船山，《周易外傳》

高銘輝，《公民與道德》，台北：台灣書店，1968。

沈清松，〈德行倫理學與儒家倫理思想的現代意義〉，《哲學與倫理》上冊，台北縣：輔仁大學出版社，1995 年 12

月初版。

沈清松，〈對應快速科技發展的道德教育之人類學基礎〉，《哲學與文化》月刊第 12 卷第 6 期（133），1985 年 6 月。

村田昇編著，林美瑛、賴昭香合譯，《道德教育》，台北：水牛，1992。

苗力田譯，《尼各馬科倫理學》，收於苗力田主編之《亞里斯多德全集》，北京：中國人民大學，1992。

國史館、中華民國史教育志編纂委員會編印，《中華民國史教育志》（初稿），台北縣：國史館出版發行，1990 年 6 月初版。

潘小慧，〈德行與原則—孔、孟、荀儒家道德哲學基型之研究〉，《哲學與文化》月刊第 19 卷第 12 期（223），1992 年 12 月。

潘小慧，《德行與倫理—多瑪斯的德行倫理學》（台北：哲學與文化月刊雜誌社，2003 年 2 月。

潘小慧，〈多瑪斯論「義德」之對象與性質〉，《哲學論集》第 36 期，2003 年 7 月。

謝明昆，《道德成長的喜悅》，台北：1990 年 7 月再版。

Aristotle. *The Basic Works of Aristotle*. ed. by R. McKeon. New York: Random House, 1941.

Aristotle, trans. by W. D. Ross. *Ethica Nicomachea*. ed. by R. McKeon. 台北：馬陵，1975。

Kendzierski, Lottie H. translated from the Latin, *De Caritate* (St. Thomas Aquinas, On Charity), Milwaukee, Wisconsin: Marquette University Press, 1984.

【附錄】：我國道德教育的實施概況[34]

　　（一）民國元年九月，教育部公布教育宗旨爲：「注重
道德教育，以實利教育、軍國民教育輔之，更以美感教育完
成其道德。」其首句即言道德教育。十八年四月，國民政府
明令公布〈中華民國教育宗旨及其實施方針〉，其中第二條
言：「普通教育須根據國父遺教，陶融兒童及青年忠孝仁愛
信義和平之國民道德，並養成國民生活之技能，增進國民生
產能力爲主要目的。」此說明我國施教之宗旨，皆以道德爲
首要。其次，政府在教育法令中，曾經訂頒〈訓育綱要〉、〈青
年訓練大綱〉、〈民族精神教育方案〉、〈生活教育實施方案〉，
作爲推行倫理道德教育之依據。在各級教育課程中，設置「生
活與倫理」（國小）、「公民與道德」（國中）、「公民」（高
中），以及「指導活動」（國中）、「健康教育」（國小、國中）
等科目，以培育學生正確之思想觀念與行爲習慣。

　　（二）至於道德教育的實施，可分爲學校與社會二方
面。在學校方面，教育部的措施是：

---

34 本附錄主要參考資料爲國史館、中華民國史教育志編纂委員會
　編印之《中華民國史教育志》（初稿）（台北縣，國史館出版發
　行，1990 年 6 月初版）；國立編譯館主編之《生活與倫理》、《公
　民與道德》及《公民》用書；毛連塭，《生活教育與道德成長》，
　（台北：心理，1994 年 9 月初版）。

1.訂定各校共同訓育德目

（1）共同國訓：民國廿七年九月十九日教育部頒布訓令，規定全國各級學校之共同國訓爲「忠孝仁愛信義和平」。

（2）共同校訓：軍事委員會委員長蔣中正於民國廿三年在江西倡導推行新生活運動，其在新生活運動之要義講詞，提示「禮義廉恥」爲實踐新生活之德目，並手訂新生活須知。廿八年，蔣委員長在第三次全國教育會議中建議，規定「禮義廉恥」爲各級學校共同校訓，全體一致接受。教育部即於五月一日訓令各校遵照辦理。

（3）青年守則：民國廿七年，教育部將原中國童子軍守則及黨員十二守則，明定爲「青年守則」，並列爲〈青年訓練大綱〉德行訓練實施要點。

2.頒布各級學校公民道德（生活規條）

民初學校道德教育之實施沿用清末科目，於中小學設「修身」一科，講授倫理，並無行爲習慣之訓練條目。民國十一年新學制頒布，「修身科」改爲「公民科」。國民政府成立後，曾一度以黨義代替公民講習。廿一年十月，教育部頒布〈小學課程標準〉，始正式改爲「公民訓練科」，廢止書本講授，另定團體訓練時間，原「公民科」常識部份則納入初小常識科及高小「社會」「自然」等科內。然中學仍維持公民科目。迨抗戰軍興，政府爲加強民族精神和抗日建國教育，將青年守則融入小學「公民訓練科」，並易名爲〈訓育標準〉。三十一年，中學公民科教材增列訓育規條，俾收訓

教合一之效。三十八年，政府遷台，中小學公民課程數度局部修改。

　　五十七年實施九年國教，政府爲求教育一貫，在國民小學方面，將原有國民學校之公民與道德課程改稱「生活與倫理」；在國民中學方面，將原有初級中學之公民課程改稱「公民與道德」。前者著重生活教育與人格教育，後者著重民族精神教育與民族道德教育。六十年，高中公民科亦依課程標準易名爲「公民與道德」，加強倫理道德教育，並以修己、善群、治國和濟世四綱爲教材重點。

　　在國民小學「生活與倫理」課程中原列有孝順、友愛、禮節、勤學、合作、守法、勇敢、公德、愛國、信實、睦鄰、節儉、負責、知恥、寬恕、有恆、正義、和平等十八個德目，並訂有行爲實踐要點四百四十項、觀念培養細目一百九十八項，分在各年級實施。八十三年又有所更易，課程改爲「道德與健康」一科，首在實施生活教育，包括一般生活規範和適應規範之教學，內容則併過去之十八德目爲守法、愛國、禮節、正義、仁義、教敬、勤儉和信實等八大德目。

　　在國民中學的「公民與道德」課程，原以青年守則爲準，依忠勇、孝順、仁愛、信義、和平、禮節、服從、勤儉、整潔、助人、學問、有恆等項目，作爲公民訓練之中心德目，並訂有生活規條一百八十一條，分在各年級實施。目前之六冊教材重點則分別爲完善的教育、和諧的社會、公正的法律、民主的政治、成長的經濟、協和的文化，每冊並輔以「生活規範實踐活動」四次單元。高級中等學校之「公民與道德」課程原訂有四十八條生活規條，目前則易爲「公民」科，於

高一、高二實施，四冊教材重點分別爲心理與教育、道德與文化、法律與政治、經濟與社會，立論則以國父遺教、先總統蔣公遺訓及當前國策爲主。大專院校則設有與倫理道德有關之倫理學、人生哲學、中國文化概論等課程。

3. 推行學校生活教育

教育部於民國五十一年訂定〈生活教育實施方案〉，提經第四次全國教育會議決議通過，旋由該部令頒各校遵行。該方案注重學生自我教育，啓發自動、自發及自治之精神，培養負責任、守紀律與互助合作之美德，俾有適應新社會之能力，創造新時代之大志。其次，該方案對日常、健康、道德、學習、公民、勞動、職業、休閒等八項生活教育之目標，規劃至爲詳細，是現階段學校訓導之中心工作。爲加強生活教育之推行，教育部復於五十二年訂頒〈各級學校學生日常生活教育重點考核實施辦法〉，以求貫徹；並逐年分區舉辦生活教育觀摩會，評選績優及示範學校，以資表揚。六十八年，教育行政主管機關督導各級學校依據〈生活教育實施方案〉、〈國民生活須知〉、〈國民禮儀範例〉及有關規定，詳訂年度工作計劃徹底實施外，並協助中等以上學校改善學生餐廳之衛生，擴建學生宿舍，美化校園，俾利生活教育之推行。

4. 大學的專業倫理教育

近年來，一方面由於社會上一般職業道德的表現不如往昔，另一方面分工細密，專業程度亦高，一般的道德教育似乎不足以應付這類問題，因而專業倫理教育的呼聲應運而

生。至今，陸續有一些學校開設工程倫理（如中原大學工學院）、企業倫理（如輔仁大學企管系）、法律倫理（如輔仁大學法律系）、醫學倫理（如陽明大學醫學院）等課程。其中輔仁大學更於 1996 年推動專業倫理成為全校各系的共同必修課程，課程名稱則訂為「倫理學」。

　　至於社會上推動社會倫理道德教育，則多藉社會運動方式來進行。較著名的有民國二十三年之新生活運動，是建國以來第一個推動社會道德教育之社會運動。政府遷台後，較具規模者為五十五年之中華文化復興運動。

第六章　倫理教育的理論與實踐

——以兒童讀經運動為例[*]

- ・　引　言
- ・　兒童讀經的理論與實踐
- ・　兒童讀經與道德教育
- ・　經典與道德教育

---

[*] 本章的基本架構和內容主要完成於 2000 年 8 月，本人得到當時輔仁大學中西文化研究中心（現為輔仁大學研究發展處學術研究組）的補助而作之一年專題研究計劃成果報告，頁 1-43。今為此書之出版，內容與文字也做了部份之更動，特此說明。

第一節　引　言

　　近十年來，台灣民間興起一股讀經運動，尤其是「兒童讀經」，是由王財貴教授所倡導的。於民國 83 年元月，在華山講堂[1] 之下，成立讀經推廣中心，免費訓練師資並義務協助各地推廣工作；85 年元月，又成立讀經出版社，印行大字注音本的《學庸論語》、《孟子》、《老子莊子選》、《唐詩三百首》、《詩經》、《易經》等「經典誦讀本」，還預定陸續出版《古文選》、《詞曲選》、《三禮春秋選》、《佛經選》等共十冊。從開始讀經約 100 名，至 87 年 5 月則約有 70 萬至 80 萬名兒童或多或少或深或淺地正在接受讀經教育。據中心估算，到 87 年底，單在台澎金馬地區，即可超過 100 萬名，若以全台灣國小學童約 200 萬人計，超過 100 萬即是半數，單從「量」方面說，將不得不對體制形成相當的影響力。1998 年，由南懷瑾先生創辦的香港國際文教基金會，將此「兒童中國文化導讀」活動推廣到中國大陸。據稱，到 2000 年爲止，已有台灣的一百多萬兒童，香港的數千名兒童和中國大陸三十幾個地區的數萬名兒童在這一活動中受益。[2] 王財貴有志讓讀經成爲五四運動以來一場最大的文化運動，他表示屆時

---

1 由全國電子專賣店股份有限公司董事長林琦敏先生推動，於 1990 年成立。

2 見香港 ICI 國際文教基金會兒童智慧開發研究中心提供，〈誦讀經典：兒童潛能發的有效方式〉，《讀經通訊》第 20 期第一版，讀經出版社，2000 年 1 月。

「國士胸羅廿四史，村童背誦十三經」的境界可達，對社會的和諧進步或將有相當助益。[3]

　　筆者教授哲學倫理學超過十年，對道德教育的理論與實踐向來關注。對於現今的讀經運動在欽佩、感動之餘，也偶有困惑之處。本章的撰寫，在第五章〈我國倫理教育與儒家思想——當前倫理教育的哲學省思〉一文的觀念基礎上，進一步以目前台灣盛行的兒童讀經運動為例，嘗試擬議我國當前道德教育的思考方向，藉此建構道德教育的理論與實踐課題。本章的本論分成二大部分，第一部分介紹「兒童讀經的理論與實踐」，本部分又分成五點闡明：

　　　　——「讀經」問題的始末
　　　　——兒童讀經的理論
　　　　——兒童讀經的實踐
　　　　——「兒童讀經與潛能開發」的實驗
　　　　——兒童讀經運動的成效評估。

　　本論的第二部分探討「兒童讀經與倫理道德教育」的關連。筆者先分析具道德性的人性行為的成素，據以指出倫理道德教育的重點應有三個主要面向：一是清明理智的訓練，即是依著人的發展促進人的道德認知，培養判斷是非善惡的能力，也就是亞里斯多德所謂「實踐智慧」（*phronesis*）的養成；二是向善意志的培育，即是意志力的鍛練；三是道德情感的蘊育，如儒家的「仁」、基督宗教的「愛」即是道德情

---

3 見王財貴，《兒童讀經教育說明手冊》（國立台中師範學院語文教學研究中心、宗哲社、華山講堂、讀經推廣中心出版，1995 年 5 月 4 日初版－1998 年 12 月 31 日第 21 版），頁 93。

感的核心。並藉由道德認知發展理論的研究成果及德行倫理學的復興，擬議我國當前倫理道德教育的方向。

第二節　兒童讀經的理論與實踐

一、「讀經」問題之始末

　　按照王財貴，「讀經」本來沒有問題，但自從民國開國就有問題了。中華民國一開國的第十九天，即元年元月十九日，第一任教育總長蔡元培下令：「小學堂讀經科一律廢止。」可見清末的新制小學堂，也還是讀經的。同年五月，又下了第二道法令：「廢止師範、中、小學讀經科。」於是不單沒有讀經的學生，也杜絕了可教讀經的教師。同年七月，蔡元培又在全國第一屆教育會議上提出「各級學校不應祭孔」的議案。他認為祭孔是宗教迷信，而想以「美育」來代替「宗教」，學校祭孔之風從此斷絕。雖然不讀經，但各級學校還是依照傳統的方式教讀古文。到了民國六年，胡適開始提倡白話，有所謂白話宣言，並詆毀古文；民國八年，五四運動起，先進知識份子狂言全盤西化；民國九年，政府在語文教育上大作變革，將原本中小學課程的古文教材一律改為白話文。從此以後，我們國人便漸漸連一般古文都看不出來，更別說讀經了。因此，王財貴認為應該是對八十年來的文化心態做反省的時候了！而當務之急是「教育」的革新，尤其是「文化教育」的落實。而最根本最切實的教育革新，就是：

普遍恢復讀經的教育，最好是將讀經課程納入體制。尤其要
自兒童時期即開始，此即古人說的「童蒙養正」。[4]

　　所謂「兒童讀經」，就是「教兒童誦讀經典」的簡稱。ICI
香港國際文教基金會董事長南懷瑾先生在推廣兒童智慧開
發的中國文化與西方文化導讀活動中的講話提到：

> 「兒童讀經」是大家最近講慣的術語，其實就是兒童
> 讀書。不管稱兒童讀書、兒童讀經，或兒童中國文化
> 導讀也好，在我的看法，這個時代，尤其我們中華民
> 族這個國家，在近七、八十年來這個時代，中國人一
> 聽到「讀經」兩個字，就莫名其妙地反感，認為是復
> 古，走倒退的路線，或者認為不合時宜，這都是一個
> 錯誤的。因此，我對大家推廣的這個工作，就改個名
> 稱，叫做「兒童智慧開發－中國與西方文化導讀」。
> 這樣一來，一方面免除各方面的誤解，另一方面也為
> 中華民族建立一個承先啟後的新文化。[5]

　　「兒童讀經」其中有三個重點：從教材方面說，就是讀
「最有價值的書」，「永恆之書」，只要有價值，不管艱深不
艱深。從教法方面說：就是「先求熟讀，不急求懂」，就是
要兒童多唸多反覆乃至於會背誦！只要能背，不管懂不懂。
從教學對象說，則以兒童為主。王財貴先生認為：這樣的「教
材」是重要而現成的，這樣的「教法」是簡單而有效的，又

---

4 同註 3，頁 13-15 及頁 52；及王財貴，〈語文教育改良芻議〉，《讀
　經通訊》第 9 期第一版，讀經出版社。
5 詳細的情形請參閱〈附錄二：ICI 香港國際文教基金會「兒童中
　西文化導讀」簡介〉及〈附錄三：兒童智慧開發研究中心發展現
　況〉。

正好配合兒童的心靈發展而「施教」。[6]以下就從兒童讀經的理論、兒童讀經的實踐、「兒童讀經與潛能開發」的實驗及兒童讀經運動的成效評估四方面來探討。

二、兒童讀經的理論

原來人類有兩大學習能力，即記憶力和理解力，記憶猶如電腦資料的輸入和保存，理解猶如程式的設計和應用。沒程式空有資料，則資料是死的，沒資料空有程式，程式卻是虛的。二者缺一不可，但記憶力和理解力在人生成長過程中的發展曲線是不同的，依據人類學家和心理學家的研究，一個人的記憶力發展是自零歲開始，一至三歲即有顯著的發展，三至六歲，其進展更為迅速，六至十三歲，則為一生中發展的黃金時代，至十三歲為一生記憶力之最高峰，以後最多只能保持此高點，往往二十歲以後，心境一不平衡，便有減退的可能。而理解力的發展與記憶力大有不同，理解力也是自零歲開始醞釀，一至十三歲總是緩慢上升，十三歲以後方有長足之進展，十八歲以後漸漸成熟，但依然可因為經驗及思考之磨練而一直有所進步，直到老死為止。[7]

王財貴以為：提倡兒童讀經教育，即是要利用他兒童期的記憶力，記下一些永恆的東西。反覆誦讀，是兒童的自然喜好！背書，是他的拿手好戲！你不準備些有價值的書讓他背，他就只好背小學課本，甚至背電視廣告。而且在其記憶

力正發展的時候加以訓練，其記憶能力會達到較高的頂峰，一輩子維持在較高的水準上，一生都受其益。[8]

王財貴對當今語文教育問題，還提醒人們先要分清實用的知識學習和永恆的文化學習的不同。在實用的考慮上，以提前認字和增廣閱讀來代替單調的繁複的課文的深究。在永恆性的文化陶冶上，參酌加入「兒童讀經」的教育！他還指出：科學教育與語文教育走的是兩條路，都應好好照顧，在兒童時期，讓他在語文學習上「死背」「食古」，猶如電腦之輸入資料，愈多愈好，選擇愈珍貴的愈好，「食古」多了，其中自會有所醞釀發酵，將來他理解力發展到了，或生活經驗的時機恰合了，自然「活用」出來。生命是難以測度的，安知「食古」一定「不化」？依認知心理學家的觀察，記憶多的人，其理解力也相對提高，其想像力也比較豐富，我們當然不能像考數學這樣確切判定他一定懂還是不懂，也不能像實驗室實驗一樣預測他什麼時候能用得上，甚至怎麼用，但我們至少可以知道的是：預備著總比不預備好，寧可預備了而不用，也不要等到要用時，一無所有，事到臨頭，只憑原始的一點聰明，因著刺激而反應，常不免慌亂失據，窘態畢露！[9]

醫學博士林助雄醫師另從腦的科學觀點就兒童讀經與潛能開發之關係，嘗做說明。他說：

> 背書，若是為了應付考試或躲開師長責罵，這種傳統填鴨式的教育法一直在壓榨學生的左腦，同時忽略了

---

8 同註3，頁35。
9 同註3，頁37。

右腦的開發，對於一位正在學習、成長的小孩來講實在不理想。因此，近些年來，由於越瞭解左右腦功能，在教學方面就出現更多合乎人性並具潛能開發價值的新觀念、新做法來倡導，目的是要能達到左右腦平衡，藉以提昇記憶力、理解力、創造力，期使人類的智能做最大的發揮。兒童讀經的方式，不求理解，只是背，表面上看來，還是左腦的訓練而已，然而就因為在背經的過程當中，完全鬆懈、有趣，使腦波從 β 波轉換至 α 波，也就是說，讀經背經的小孩一而再、再而三地有機會舒解身心壓力，並能在 α 波的腦與潛意識互動過程中加強了創造力、靈感、注意力、判斷力及記憶力。兒童讀經背經的過程類似吟唱，眼睛看經典文字為透過視覺作用刺激右腦，而唸唱的律動也啟動了右腦，至於仔細整理辨字以便記憶則是左腦的工作，所以整個讀經過程恰恰動用了左右腦功能，使左右腦運作得以同步，根據研究，左右腦能有同步效用時，學習能力可增加二至五倍。其實，單從左右腦平衡的目的來講，兒童不一定要讀經，就是讀其它的東西也有效果，只要把握住輕鬆並有韻律感地重覆唸唱即可。然而，一再重覆的唸唱，即使沒有刻意去理解，所讀唱之內容不只會存入大腦記憶，它更會烙印在潛意識裡，而潛意識的妙用就是無需經過意志的運作，能直接地、默默地、自然地影響了人類的思維與行為，所以兒童讀經，選擇古聖賢的智慧精華是正確的，因為假以時日，有讀經的人多少會受到經典的潛

移默化、陶冶性情。[10]

比較教育博士喬龍慶說：

> 以讀經的『多功能』而言，正如西方對『閱讀』的學術研究報告所指出：讀者可從閱讀中學到字、辭、句和文章的意思；經常閱讀不僅能豐富詞彙，加快閱讀速度，還能增強理解力；閱讀不僅增長知識，還能建立讀者的自信與自尊。……兒童讀經從小就為孩子種下了智慧的種子。[11]

總之，如王財貴言：

> 所謂經典……其中有語文能力之訓練，其中有人格智慧之培育，其中有歷史文化之涵養，三事一次完成。而一生之學問基礎自此建立，論教育功效之大，未有甚於此者。[12]

三、兒童讀經的實踐

（一）教材方面

教材選擇的標準只有一個，即：選「最有價值」的書。可隨個人的見識喜好而認定或安排其先後次序，無論如何，只要所讀的是「經」，便都有大利，不必太過患得患失。王大任將經書的價值歸納成六點：（一）真常；（二）通變；（三）

---

10 林助雄，〈兒童讀經與潛能開發〉，同註 3，頁 39-40。
11 見喬龍慶，〈"東"張"西"望話讀經〉，《讀經通訊》第 17 期第一版，讀經出版社，1999 年 4 月。
12 見王財貴，〈讀經通訊發刊辭〉，《讀經通訊》創刊號，1995 年 1 月 1 日。

中庸；（四）維新；（五）發揚人性；（六）富有民族精神。[13]
王財貴的建議是：

> 與其讀誦教科書，不如讀誦三字經；與其讀誦三字
> 經，不如讀誦千家詩；與其讀誦千家詩，不如讀誦唐
> 詩宋詞；與其讀誦唐詩宋詞，不如讀誦文選古文觀
> 止；與其讀誦文選，不如讀誦百家諸子；與其讀誦百
> 家諸子，不如讀誦十三經。要讀誦十三經，則當從四
> 書起，四書又以論語為先，這是民族文化之根本命脈
> 所在！當然一本讀完，可以再讀一本，乃至以上之書
> 全部讀完。[14]

近幾年，讀經推廣中心所實驗的讀經班，一開始給初學
者所選用的教材是論語、老子和唐詩，一是儒家之本，一是
道家之源，一是公認的文學之寶。三本都背過了，則可以讓
他背孟子、詩經、易經等等。據筆者的瞭解，有些讀經班也
會放入如〈弟子規〉、〈朱子治家格言〉、〈孝經〉或某些佛經
經文。

（二）教法方面

基本原則就是：找機會讓孩子多接觸，多唸多背，只此
一訣，別無他巧。教學法的原始規模是：

> 老師唸一句，學生跟著唸一句，唸完一段了，再帶一
> 次或兩次或多次，然後教學生自己唸一遍，再唸一遍
> 或兩遍或多遍，然後或全體一起唸，或部份人一起

---

13 王大任，〈發展人文科學與讀經問題新評估〉，《孔孟月刊》，25
　（9），頁6至頁9，1987年。
14 註3，頁42及頁44。

唸，或個人唸，你唸他唸，再跟著唸，再一齊唸……
總之，就是反覆再反覆的多唸，最後是把這些內容背起
來。這裡有很多的唸，只有很少的講解，或甚至不講解。[15]
這麼簡單的教學法，王財貴以為：

> 如果教本選用注音本，則任何人，只要讀過小學二年
> 級以上，認識注音符號，就可以當指導讀經的老
> 師。……千萬不要為了找一個科班的教師而耽誤了兒
> 童的學習年齡！[16]

至於教材的順序，王財貴建議：

> 最好又最簡單的方式是按經文，從頭教起，一章教過
> 了教第二章，接著第三章等等，尤其像論語老子唐詩
> 一類的書，根本沒有所謂重要不重要可選擇。[17]

至於教學的時間和教學進度，不管是家庭中由父母自己
教自己孩子讀經，還是在學校或讀經班團體教學，都是很自
由的。讀經實驗班的做法是：每週上課一次，每次一個半小
時（中間或可休息）。因為同時讀三本經典，所以進程也依
經典分為三階段，每階段又分三小段，即複習、考試、教讀
三部分。[18]

（三）推廣方面

目前的讀經教育除了某些家庭由家長單獨教其子女之

---

15 註 3，頁 45。
16 同註 3，頁 45- 46。
17 同註 3，頁 46。
18 同註 3，頁 46。

外，大部分是以「讀經班」的方式出現。讀經班的方式是多樣的，如家庭社區式、安親班式、宮廟寺院式、學校班級式、學校全校式，甚至全行政區式，有些縣市大部分學童已開始接受讀經教育。如澎湖約有五分之四以上，屏東約有二分之一，南投有五分之三以上，而台中市彰化縣亦超過二分之一的學童開始讀經。[19] 據稱，現已有數千處讀經班的響應。[20]

讀經推廣中心還要以台灣的經驗推廣到華僑社會及大陸，達到「有中國人的地方就有人讀經」之情況，目前，華僑社會，如東南亞、美、加地區已有少數讀經班。而大陸地區正開始起步且發展迅速，在北京、天津、上海、山東、福建、廣東、四川……等三十幾個地方都有讀經現象，預計兩三年內將會有數百萬至數千萬兒童開始讀經。[21] 王財貴還於 2000 年 7 月 13 日至 8 月 26 日，至中國大陸巡迴演講讀經教育，行程包括深圳、福州、泉州、廈門、溫州、江陰、南京、徐州、曲阜、濟南、青島、內蒙、北京、西安、四川、桂林、玉林、南寧，努力將讀經的種子在大陸播種。

台中大悲講堂住持、台中佛青會會長真慧法師，抱持「普願眾生得離苦」的信念，草擬〈全民讀經企劃〉，經王財貴及逢甲大學多位教授提供卓見後定稿。同時於民國 1997 年 4 月 16 日由中華民國佛教青年會理事長上淨下耀法師面呈李總統。6 月 10 日因緣際會促成了文化總會之行（文化總會係

---

19 見王財貴，〈台灣的讀經運動〉（節錄），《讀經通訊》第 14 期第一版，讀經出版社，1998 年 7 月。
20 同註 3，頁 54。
21 同註 19。

李前總統登輝所創辦，當時並由李總統擔任會長），向黃石城秘書長報告說明讀經教育源起、意義及推廣情形，這種紮根教育正與李總統當時所提倡之心靈改革不謀而合。第二次座談會於 6 月 13 日再度於文化總會召開，也因而促成了 7 月 16 日於桃園少年輔育院舉辦首屆「全國少年收容人讀經及唐詩新唱研習會」，期供各少年矯正機關之教師研習，以資日後教導少年研讀四書五經及唐詩吟唱。又因文化總會兩次座談會之成功，教育部長吳京於 1997 年 7 月 30 日正式發函省（市）政府教育廳（局），轉知所屬中小學將讀經列入課外教材。二次的座談協商，包括黃石城秘書長（暨政務委員）召集內政部、教育部、文建會主管人員共同商討，獲初步結論：由民間的實際推動，政府的行政配合，一齊推廣讀經，進行心靈改革，合力改善社會。22

（四）評鑑方面

　　為了驗收讀經讀誦成果，也為了給讀經的兒童一個正向鼓勵，各地區定期舉辦經典會考或小狀元會考。如由台灣省興儒文教學會等多個單位合辦的首屆南部地區「小狀元會考—兒童讀經成果評鑑會」，於 1998 年 2 月 8 日在「全台首學」台南孔廟舉行，共有 346 個小朋友參加，年紀最輕的考生僅一歲十個月，最大的就讀國一；會考內容包括大學和中庸的全文、論語的前五篇、老子道德經的前四十章，小朋友可以自由選組參加會試。放榜錄取了 160 位小狀元，其餘則

---

22 見《讀經通訊》第 10 期第四版及第 11 期第二版，1997 年 7 月及 10 月。

爲秀才和童生，接著大家列隊從大成門前廣場，循明倫堂、禮門、泮池、狀元橋、義路，入大城門，踏螭首登大成殿，以簡單隆重的儀式祭孔，然後頒獎閉幕。23 第二屆南區小狀元會考則於 1999 年 12 月 12 日在台南師範學育院舉行，共有一千二百名小朋友參賽，年紀最小的二歲，最大的十四歲；會考內容分爲十五科，包括大學、論語、中庸、老子、莊子、孟子、詩經、易經、孝經、弟子規等。其中一千零八位小朋友榮登「小狀元」頭銜，讀經展現佳績，個個欣喜不已。24 另如彰化縣自 1997 年推動讀經，彰化縣政府和彰化讀經協會自 1998 年起開始合辦經典會考，1998 年 12 月 25 日於和美國中辦理第二屆會考，共有二千六百餘人報名，盛況空前；計有 1830 人榮獲狀元頭銜，下午 1：30 分入狀元門，接受長官戴狀元帽、敲響狀元鑼、過狀元橋等儀式。25 除了讀經會考外，有時還會伴隨讀經觀摩表演，背誦吟唱、敲鑼打鼓，甚至各項專題講座、生機飲食介紹、中醫義診及親子活動等。

有些學校，爲了落實讀經教學的學習效果，學期中特別安排讀經比賽，如屏東縣長興國小 86 年的讀經比賽採賽前指定和當場抽籤兩種方式，一、二、三年級朗誦經文，四、五、六年級背誦經文。26 台中縣大里市崇光國小則於民國 85 年 1 月 7 日在學校舉辦一場兒童讀經快樂營，以團體組讀經

---

23 見《讀經通訊》第 13 期第一版，1998 年 4 月。
24 見《讀經通訊》第 20 期第四版，2000 年 1 月。
25 同註 24。
26 見《讀經通訊》第 10 期第二版，1997 年 7 月。

比賽的方式並結合童玩分組遊戲；當天約有六十名學童參
加，所有的家長都是義工。不僅利用遊戲的方法來驗收個人
的讀經成果，更可訓練大家的團隊精神。[27]

　　不僅台灣，馬來西亞華人文化協會為驗收近兩年來推廣
讀經運動之成效，特於 2000 年 1 月 9 日假吉隆坡蒂蒂旺莎
湖濱公園舉辦「首屆小狀元比賽—兒童導讀成果評鑑會」，有
多達 339 位學童報名參加。[28]

　　據悉，在讀經推廣中心主任王財貴教授大力的推動下，
由全國文化總會台灣省分會主辦，台中市讀經學會承辦的第
一屆「全國經典科段總會考」，於民國 89 年孔子誕辰前的週
日上午，由「大考中心」統一出題，同時在各縣市舉行總會
考。二年級以上筆試（難字可注音），一年級以下可申請口
試，通過者，將請總統府或政府文化單位頒發證書及金質紀
念卡。此項會考將持續舉辦，兒童可以逐年收集其證卡。[29]

四、「兒童讀經與潛能開發」的實驗

　　筆者很高興在研究過程當中，看到由香港 ICI 國際文教
基金會兒童智慧開發研究中心所提供的「兒童誦讀中國傳統
文化經典與潛能開發」積效相關實驗研究綜述。此研究據稱
是為了從科學研究的角度揭示這一活動所採取的學習方法
的科學性，1998 年 6 月至 1999 年 6 月期間，香港國際文教

27　見《讀經通訊》第 6 期第三版，1996 年 6 月。
28　見《讀經通訊》第 21 期第二版，2000 年 4 月。
29　見 http://www.chinese-classics.com.tw。

基金會與天津華東師範大學教育與技術學院合作，由華東師範大學教授與研究生數十人，以「先進技術」所完成的實驗成果。30

　　實驗隨機選取上海市兩所幼兒園，四所小學中的幾個班級爲實驗班（計幼兒園 120 名，小學一至三年級 287 名小朋友），先選定了平行相關的對照班（計幼兒園 60 名，小學二、三年級 213 名小朋友）。對實驗班（計幼兒園 120 名，小學一至三年級 287 名小朋友）試用了爲期兩個學期的讀經方法之後，分別對他們在識字量、記憶力、注意力、智商和人格等五個方面的指標進行了試驗前後差異、對照班和實驗班之間差異的比較和檢測。

　　實驗的方法是讓實驗班的小朋友每天誦讀《中國文化寶典》（實驗期間共讀了第一冊和第二冊），每天 15-20 分鐘。寒假期間，受試則在家中由家長帶領每天誦讀《中國文化寶典》15-20 分鐘。

　　實驗班內部又分成兩組，第一組不看教材，小朋友跟著老師和家長誦讀教材中的相關內容；第二組是在老師和家長帶領下，看教材中相關內容誦讀。

　　對照班則在整個試驗期間不誦讀《中國文化寶典》，但在其他變量上與實驗班完全相同。

　　對原始數據的統計採用了"T 檢查方法"，在 SPSS.8.0 版本「大型統計分析軟件」上進行檢驗。

　　通過對實驗結果的科學分析，初步得出了以下幾點結

---

30 同註 2。

論：

（一）兒童讀經可以明顯、快速地增加識字量：

其中五組相關實驗還表明，學前幼兒在幼兒園中班、大班階段可以只通過看書讀經，不需要額外的講解，就能夠自然學會認字，並且，中班幼兒和大班幼兒在讀的速度上相差不大。實驗班中看著書讀經和不看著書讀經的兩組結果對比顯示：兒童看書讀經對識字有幫助；不看書只是跟著老師誦讀對識字沒有幫助。這一結果提示了讀經方法中的一個重要原則：即必須看書讀經，才會達到最佳效果。

（二）讀經可以使兒童在記憶的廣度和理解、記憶方面有顯著性的提高。

（三）讀經有助於提高兒童注意力。

注意力是學生提高學習效率的關鍵因素之一，是人們獲取知識，掌握技能完成各種智力操作的必要心理條件。

（四）讀經有助於兒童人格的成長。

研究人員請班主任和家長，對受試兒童在讀經前後的道德表現進行了經驗性的評價。調查結果分析表明：有 90% 以上家長和班主任，都認為讀經對於提高受試的道德水平有幫助。

五、兒童讀經運動的成效評估

除了上述的實驗結果的初步結論外，筆者還蒐集了一些人對兒童讀經運動的成效評估。如劉桂光認為：

一、就近程的而言：1、經典至少不會帶來壞處，並

且在現今眾多才藝班、補習班林立的情況下，多一個花費不多，卻可能效果極佳的選擇。2.積極的說：讀經可以讓小朋友多認識字詞，奠定語文之基礎。而語文基礎好，是一切知識學習的基石。因為知識的傳達需透過語文，小朋友對語文意義的掌握能力越強，學習的效果越好。二、就長程的而言：1.消極的說：經典可以持續提昇我們表達語文的能力，增添生活之情趣。2.積極的說：經典可以培養文化氣質，開拓我們的人生境界。並能起悟生命的智慧，發揮理性的功能。[31]

王財貴以他個人對此問題的長期思考（超過 25 年），以及逾 10 年的家庭小規模實驗，他說：

級任老師若能每天利用二三十分鐘時間，把讀經當作國語的『補充教材』，則大概在施行半個學期之後，全班小朋友的注意力會較集中，記憶力也會增強，整體學習能力大為進步，不僅國語進步，連社會科也進步，甚至對數學自然科的理解力也會提升。除此之外，在經典的薰陶下，兒童的氣質會有顯著的變化，性情較為穩定篤厚，較能友愛同學，體諒父母，尊重老師。有許多老師在班上教了讀經後，教學漸漸輕鬆。有些學校全體讀經後，訓育主任發覺學校問題漸漸減少。這些都是驗而有徵的。吾人認為今後國中高中的校園問題，應該要在國小解決，方便有效的解決

---

31 見劉桂光，〈開始讀經了〉，《讀經通訊》第 5 期第一版，讀經出

之道，即在全面推廣讀經，最好是將讀經課程納入體
制，則許多老師的辛勞可以減免，而許多學校教育及
社會文化的問題可以迎刃而解！[32]

莊鴻宇在就讀雙溪國小四年級時，曾爲文道：

在讀經班……我從書中學到的不只是會背經書，我們
可以將書中的爲人處事，待人接物的道理，用於日常
生活中。[33]

中國時報 1999 年 12 月 24 日浮世繪版曾報導讀經少年
莊鴻宇自幼至今（台北市北安國中三年級）的讀經歷程：從
一出生，莊媽媽就二十四小時播放三字經給他聽；小二升小
三時，由於書法老師的介紹，參加華山講堂讀經班，開始有
計劃大量的背誦中華經典；小學五年級時，已讀完原典資治
通鑑了；國一下學期時，自己可以在圖書館點讀《十三經注
疏》。全班同學給他的性格評語是「富於批判精神」和「善
於表達」。莊鴻宇還表示：「我非常希望有更多人來讀經……
如果每個人都讀經，我就不會孤單了。」[34]

第三節　兒童讀經與道德教育

綜上所述，兒童讀經可以歸納出三點主要目的或功能：

版社。
32 同註 3，頁 52。
33 見莊鴻宇，〈台北在讀經－耕耘與收穫〉，《讀經通訊》創刊號，
　 1995 年 1 月 1 日。
34 鄭清榮，〈讀經少年莊鴻宇〉，《讀經通訊》第 20 期第三版，2000
　 年 1 月。

第一，兒童讀經作爲當今國語文（白話文）之反動之一種體
制外的語文教育方式；第二，兒童讀經作爲一種固本培元之
文化教育方式；第三，兒童讀經作爲一種倫理道德教育方
式。兒童讀經與語言教育、文化教育、倫理教育各有某種關
連，後三者之間亦兩兩互有關連但是卻呈現不同內涵。本章
的重點不擬討論兒童讀經與語文教育或與文化教育的關
連，而只專注於「兒童讀經是否是一個好的或有效的倫理教
育方式？」此課題。

一、倫理道德教育的本質

　　欲回答此問題，首先必須回溯至教育的本質及倫理教育
的本質。教育的主體是人，「教育」[35] 一詞不應僅限於狹義
的教導與學習的制度化歷程，教育一如黑格爾所言的「陶成」
（Bildung），乃邁向普遍之歷程。倫理道德教育可說是一種
實踐的陶成歷程，一種提升整體人格邁向其本具之普遍——
人性——之方式。[36] 人性之中具道德性，人性亦要求倫理道
德，倫理道德教育的本質及目的即在陶成人格、滿全人性、
彰顯人性，在於由內而外的引導，在於德性與自律的培養。
基於此，我們來看看兒童讀經對倫理道德教育可能有的貢
獻？

---

35 education（教育）一詞，源自拉丁文之 *e-ducare*，原義爲「指
　　出」或「引出」（to lead or to draw out）義。
36 參見沈清松，〈對應快速科技發展的道德教育之人類學基礎〉,《哲
　　學與文化》月刊第 12 卷第 6 期（133），頁 31，1995 年 6 月。

　　按照王財貴的信念，讀經可「建立孩子的心靈免疫力」、「不受社會污染」，可「教出一個明禮義有教養的『君子』」。37 根據一些國小老師的讀經教學成果報告，他們認為「在讀經的薰陶涵詠當中，感覺小朋友氣質逐漸改變，性情平和，班級氣氛融洽，生活常規進步，教室管理輕鬆，常獲得學校秩序、整潔競賽優勝，以及全學期表現績優的肯定」，「一些學習低成就、適應不良或學科成績不佳的小朋友，在讀經背誦方面的表現，相較於成績優秀的同學毫不遜色，甚且是這些小朋友的拿手好戲，在同儕團體中同樣獲得認同與肯定，更不致於自暴自棄」。38 王財貴甚至信心滿滿地表示「預計不出十年，即可對少年犯罪、國中高中校園問題產生有效的治本功能，一、二十年之後且對人心敗德、政治亂象有釜底抽薪的矯治效果」。39

　　基本上，我個人不反對兒童讀經，至少任何人的接觸經典不是件壞事，對閱讀能力、語言能力都有某種程度的助益。筆者比較感到不安的是：將讀經與人格陶成、讀經與倫理道德教育做了簡單的因果關連與直接推論。一些老師們和家長們對學童外顯行為的觀察，當然值得重視，但必須審慎分辨的是：究竟是讀經本身使得學童行為改變？還是其他因素？筆者從朱安邦老師的兩篇文章40 看到的是：一個有愛

---

37 同註 3，頁 12。
38 見朱安邦（台中縣崇光國小教師），〈讀經教學實施成果報告〉，《讀經通訊》第 12 期第二版，讀經出版社，1998 年 1 月。
39 同註 19。
40 朱安邦，〈讀經教學實施成果報告〉和〈崇光國小提倡校園讀經實施辦法〉二文，見註 38。

心、耐心又有智慧的老師，藉由持續且長期的「讀經」及「每日一書」的團體活動，凝聚了全班學童及家長，做了成功的班級經營，甚至還提供了學童與家長間親子互動的良好媒介。更有甚者，朱老師成功的班級經營經驗還推擴至全校，成為典範。儘管如此，如同對「學音樂的孩子不會變壞」命題的質疑般，我們還是很難直接將讀經視為行為變好的充分條件或必要條件，讀經可能較適於看作行為變好的一個助緣。

試想：當一切條件均不改變（other things being equal），只將「讀經」活動改為「唱歌」（唱好歌、唱詞曲優美的歌）時，朱老師的班級會如何？我想仍然會成功的。多唱詞曲優美的歌，除了符合林助雄醫師所言人的左右腦平衡外，在反覆唸唱歌曲時又增進了語文能力、音樂的邏輯性與感受力，也鍛練了記憶力，促進了理解力、判斷力；在群體共唱、分唱的互動過程中，又激勵了群育的發展；在家長支持或參與中，又增益了親子互動。一些學科成績原本表現不佳的學童，在無壓力又有趣的唱歌活動中，或許一掃陰霾，重拾自信。……筆者欲表達的是，要達到朱老師的成功，讀經不是唯一的方式，也不見得是最好的方式。

我們考察一個人性行為（human acts）的組成因素，可知其中必須包含理智的認識與意志的同意。道德判斷雖具規範、指令作用，但仍是道德主體的判斷，還只是停留在「知」的層次，與具體的道德實踐的「行」仍有不同。如何從「知」到「行」？必須仰賴與理智（intellect）截然不同的獨立機構或能力（faculty）來促動，此即是「向善的意志」（good will）。

人的理性能力由「理智」及「意志」組成，二者各有所司，亦關係密切。一個再清明的理智充其量只能作個正確的道德判斷，幫助意志抉擇善，但其自身並不足以完成道德實踐；意志作爲理性慾望能力（rational appetite or intellectual appetite），卻不定然以道德善爲依歸，因此必須將之限定爲「向善的意志」，「清明的理智」加上「向善的意志」，才能使得道德判斷必然落實於道德行爲，完成道德實踐。按照德行倫理學（Virtue Ethics），道德實踐不是偶一爲之的適然（contingent）行爲，而是一個人在倫理生活上的徹底改變（包括觀念、態度、判斷、意願、行動等等），學者稱之爲「倫理皈依」（moral conversion）。皈依者身上有一個根本的轉變，包括它背後的思想和意志過程以及它外在行動的可見面貌。皈依的過程也不是靠一個人單獨完成的，而是互動的、漸進的、發展性的。[41] 也有學者將道德生活所包含的主要因素分析爲七：

　　1.對倫理問題具有高度的意識；2.正面肯定倫理的價值；3.具有倫理判斷的能力；4.感覺得到倫理情緒；5.願意過倫理生活；6.具備倫理行爲所需要的技巧；7.能夠開始並完成倫理行爲。[42]

　　也因此，倫理道德教育的著力點應有三個主要面向：一是清明理智的訓練，即是依著人的發展促進人的道德認知，

---

41 參見許惠芳，〈倫理發展與倫理皈依的過程〉，《專業倫理論文集（二）》（台北：輔大出版社，1997 年 1 月），頁 100。

42 參見詹德隆，〈倫理決定、情緒影響及德行培育的互動關係〉，《專業倫理論文集（二）》（台北：輔大出版社，1997 年 1 月），頁 114。

培養判斷是非善惡的能力，也就是亞里斯多德所謂「實踐智慧」（*phronesis*; practical wisdom）的養成；二是向善意志的培育，即是意志力的鍛練；三是道德情感的蘊育，如儒家的「仁」、基督宗教的「愛」即是道德情感的核心。知、情、意三方面的整全發展，方可促成道德實踐--即「行」--的達成。不少談論倫理道德教育的學者，於是認為倫理道德教育的內涵包括知、情、意、行等四個層面；而一個與倫理有關的議題討論或課程均包括這四個學習領域，所以道德教育的課程與教學方法比起單純的學科教學更為複雜，這對從事倫理道德課程的教學工作者而言，無形中也多了許多要求。

二、倫理道德教育應強調講解與討論

在第四章〈我國倫理教育與儒家思想——當前倫理教育的哲學省思〉一文中，我們已經談到倫理教育在教學方法上，注重道德討論是正確的，而側重道德兩難困境（moral dilemma）問題的討論式教學法也是可取的做法。兒童讀經不強調講解，甚至毫無討論的做法令人擔憂。他們以為書背熟了，不用講解，日後自然得以心領神會。在古代農業社會裡，文學作品係以人文的思想為主，天文、政治或經濟方面的文章雖然有，畢竟不多。以人文思想為主的典籍，皆以韻文或文言的語法撰寫，孩童長大之後，不管讀書或寫作，仍然處於相同的語文情境中。從出生到老死，只要思考，就是文言的模式；只要寫作，就是文言的句型；所以早期背誦的經典，有天可以藉著反芻來理解，這的確有相當的可能性。

但今天說讀寫作都在語體的範疇之內，卻以不同情境的古文方式要求背誦，而求長大之後自行理解，是否緣木求魚？[43]我們的孩童，每天都生活在語體文的環境裡。語言，是思維的表現；每一種語言，都有其各自不同的思維模式；所以文言有文言的思維系統，語體有語體思考的特質。如果孩童尚未學好基礎的語言，大人卻匆忙挾著進入文言的領域，躐等強制孩童必須運用文言的思考，而死背文言的詩文。孩童的心智是否能接受？縱能接受，是否只是囫圇吞棗，學到半文言、半白話的思考方式？如果一方面必須採取文言的思考方式死背，一方面卻得運用語體的思考方式來表達，這對識字不多、思考尚未成型的孩童來說，是否只是揠苗助長罷了？[44]若不講解而造成義理的誤解，豈不更糟！如《論語‧陽貨17.25》記載孔子曾說：「唯女子與小人，爲難養也。近之則不孫，遠之則怨。」《孟子‧離婁上26》記載孟子曾說：「不孝有三，無後爲大。……」等章句，如果沒有適度的詮釋，豈不造成性別歧視或其他誤解。另如兒童讀經盛行的教材《弟子規》〈入則孝〉中說：「親有過，諫使更，怡吾色，柔無聲，諫不入，悅復諫，號泣隨，撻無怨。親有疾，藥先嘗，晝夜侍，不離床，喪三年，常悲咽，居處變，酒肉絕……」，在教育界普遍反對體罰的現今，如何讓孩童同情地理解古代的「撻無怨」？如果「親有疾，藥先嘗……」，與現今的醫藥常識及孝道觀念也大相違背。因此，不要以爲反正經書一

---

43 楊鴻銘，〈國小作文教學思考〉，頁 102，《國文天地》第 14 卷第 11 期，1999 年 4 月。

44 同註 43，頁 102-103。

定是好書，即使不講解也沒關係，殊不知「盡信書，不如無書」，孩童的啓蒙階段，尤其是道德的啓蒙，更需要謹慎從事。孔子也說過：「學而不思則罔」（《論語·爲政 2.15》），一個不以啓發思考及指導思考爲主的學習，實在很難稱得上是好的學習方式。

如前所述，倫理道德教育貴在促進倫理認知、培養實踐智慧，故方法上注重價值澄清、角色扮演及倫理討論。這方面，兒童讀經幾乎闕如。作爲一種倫理教育方式，筆者認爲似乎有重新檢視的必要。

三、倫理道德教育更應注重師資

至於，在兒童讀經的師資方面，如前述，王財貴以爲「如果教本選用注音本，則任何人，只要讀過小學二年級以上，認識注音符號，就可以當指導讀經的老師。……千萬不要爲了找一個科班的教師而耽誤了兒童的學習年齡！」讀經推廣中心也主張：兒童讀經班的教師，並不須有多優秀的國學底子，最重要的是要有三心，即熱心、恆心與耐心。一般而言，只要稍通經典者，就有資格擔任讀經教師。爲了推廣讀經，並使更多有志者參與，讀經中心也不斷的舉辦師資訓練研習會，以培育讀經師資。筆者在此想提的是，「讀經」既然被視爲一種可以幫助孩子的教育，對於「師資」的來源與素質就不應該草率對待。因此，有人就建議：「對於讀經教師的訓練不應該只是『聽二十分鐘演講』或『看得懂注音符號、會讀國語』就人人可爲的。……雖然不要求教者講解，但我

們很難保證每個孩子都不想發問。尤其兒童的求知慾很高，好奇心很強，如果讀經教師發音不甚標準，每每被學生『一問三不知』，敷衍應付，不但無法取得學生的信任，更可能因此而誤導學生。因此，師資水準的要求是必要的。」[45] 我們必須認知：即使是義務的讀經教師，若自己不具備教育心理學、教學法的基本知識，也未能釐清所欲教學議題的學習目標，在教學過程中很容易陷入困境，或不知如何有效傳達訊息。在倫理教學實務中，經常出現的問題是教學者對所欲討論的領域知識不足，未能具備打動學生、說服學生或提供給學生足以說服自己的資訊。因此，如果讀經要標榜所謂倫理教化之功的話，就必須正視師資的問題。

四、兒童讀經的實質效果

再者，對於讀經的實質效果，也有人提出：「只單憑部份家長、教師、學生描述，而無實際的、嚴謹的實驗研究，是不足以說服社會大眾的！這種效果是不是僅有短期的『立即效應』（例如成績進步、情緒穩定、提升 EQ、增加識字及作文能力……）；而無長期的效用（例如在兒童期讀經者，是否成人以後，記憶力果真比一般人要強、口語表達能力較佳、道德行為較好……）呢？此外，所謂『提升語文能力』所指究竟為何，評量的標準何在，參照團體為何，都沒有明

---

45 見張怡貞、蔡秉倫、王建堯，〈目前兒童讀經運動之探討〉，《國政之聲》第 31 卷第 1 期，頁 34-39，1997 年 10 月。

確的說明。」[46] 雖然在前文「兒童讀經與潛能開發的實驗」一段中，有所謂科學的作法，但畢竟時間太短，只有一年。因此，建議有志之士能繼續做更長期、更嚴謹的、更詳盡的研究。在倡導兒童讀經的理論基礎方面，也有人認爲不夠完備。「例如：對記憶能力、行爲氣質的提升，認知學習層次的改變及對不同年齡兒童的影響等，似乎在讀經倡導者的論點說明中不夠詳細，甚至未提及……建議能對兒童讀經的緣由及學習效果評估等方面，補充更強而有力的立論基礎。例如相關的認知學習理論、社會學習理論、道德發展理論……等。」[47]

五、體制內或體制外 ?

關於王教授所提欲取代現今白話國語文教育的看法，有人以爲：今日是一個政治民主化、教育多元化、思想自由化的社會，群眾可以依個人喜好自由選擇。讀經是否有必要極力提倡成爲一種運動，仍待商榷。而就其型態而言，目前仍以學校體制外的形式較佳。一方面符合民主潮流，一方面也適應課程開放的需要，不必在體制內強求。否則，最終如果變成捨本逐末或本末倒置的結果，恐怕也不是推展讀經者的初衷吧！[48] 筆者以爲重點不在體制內外，而在於是否有足夠的主客觀條件使讀經變成一個社會傾向的主流價值。讀經的

---

46 同註 45。
47 同註 45。
48 同註 45。

定位何在？讀經的目的何在？讀經的師資如何？這些基源
問題釐清之後，恐怕才能進一步談體制內或取代白話語體文
的問題。

第四節　經典與道德教育

　　前二任教育部長曾志朗先生，一上任即積極推動全國兒
童閱讀運動。該項新計劃決定在三年內讓兩千個學校將兒童
閱讀列爲課程學習的一部分，並且規範幼稚園兒童一年內至
少閱讀一百本推薦書籍。根據新版的計劃，未來國小低年級
學生一年內至少閱讀八十本、中年級學生至少六十本、高年
級學生至少四十本以上的推薦書籍。爲了營造閱讀環境，教
育部也決定協調主計單位，靈活運用購書經費，以採購品質
好、數量充足的好書給學生閱讀。這項計劃不侷限在兒童文
學跟語文能力培育，也將發展思考性的閱讀，增進兒童創造
思考能力；也發展功能性的閱讀，增進兒童手腦並用能力。[49]
他除了鼓勵小朋友要建立閱讀習慣外，也期勉小朋友看完書
之後，一定要講給別人聽，增加自己的思考力與想像力。提
倡讀書運動也將擴及高中高職學生，教育部中部辦公室於
2000 年 8 月 8 日公佈「高級中等學校推動班級讀書會實施計
劃」，下個學期開始，將先由各校遴選班級辦理「班級讀書
會」，並採漸進方式，在兩年內擴大爲各校一、二年級全面
推動。教育部希望藉此培養學生閱讀課外讀物的習慣，促進

---

49 見 2000 年 8 月 8 日《國語日報》第 2 版〈文教新聞〉。

創造思考能力，期能形成普遍的讀書文化。[50] 爲了配合全國兒童閱讀運動，教育部社會教育司於民國 2000 年 8 月 10 日宣佈，將從今年度起編列四千萬元經費，全面推動「親子共讀計劃」，預計在兩年內號召一萬個家庭加入親子共讀活動。[51] 鼓勵閱讀是件好事，閱讀好書更是鼓勵閱讀的先決條件。閱讀的書籍數量不應是規範的絕對或首要標準，閱讀的質和閱讀書籍的質才應是閱讀活動或閱讀行爲的核心。鼓勵閱讀之後與人分享或設法說出來，甚至與人討論，這正可啓發學子們的綜合力、記憶力、想像力等思考力及語言表達能力，在討論分享的情境中也能培養民主社會需要的包容力、同情心及同理心。

　　經典，是歷史珍貴的遺產；經典之於文化，的確具有不可抹滅的價值與貢獻。但，倫理教育畢竟不同於語文教育或文化教育。倫理道德乃奠基於人本性中的理性，倫理道德教育應該是一個講理的教育，理性的啓蒙與開發是起點也是重點。經典所蘊含的微言大義，不是單靠讀誦經典可竟其功。「讀經」不要只是「讀誦」（recitiing）經典，否則很容易流於「唸經」或「誦經」，只是有口無心；而是要「閱讀」（reading）經典，讓經典的精義成爲觀念的一部分。如果說中西的教育學者基於道德認知發展理論，提供了一套有效的倫理教育方式，那麼，經典可說是不錯的倫理教育題材。當然，當代有不少白話語體文的好書也是不錯的倫理教育題材。基於本文化的儒釋道經典，可按照學習對象的年齡、程度，由專家學

---

50 見 2000 年 8 月 9 日《國語日報》第 2 版〈文教新聞〉。

者以語體文改寫成可供討論研讀的教材；如果國學程度較佳或高中職以上階段，也不妨直接引述原文，讓學生貼近經典。經典固有永恆價值的一面，然而面對變遷快速的台灣社會，其所遭遇的倫理問題也跟上世界潮流，呈現愈加複雜的情況。例如現代科技帶來許多前所未聞的倫理課題，像人工生殖的代理孕母、冷凍胚胎、基因複製（複製人等）等，像數位化社會帶來的網路倫理等。也因此，經典作為倫理教育的唯一題材顯然不夠。對於經典，我們雖不免帶有一份濃郁的民族情感，對於文化，亦不免有一股強烈的使命感；但在多元文化主義（multiculturalism）價值觀的挑戰下，在民主社會「世界公民」的時代要求下，除了我們的經典作為典範外，還有更多其他的經典（如《聖經》）也可相互遭遇，共為典範。筆者更以為，我們不要窄化了經典，不要只將四書五經、十三經視為經典，經典不是只能以古文的形式呈現。倫理道德的終極關懷在於幸福生活或美善人生（good life）的獲致，倫理教育的目的也在幫助人們達到此目標，我們需要更多關於此課題的討論與反省、理論與實踐！

參考書目

毛連塭，《生活教育與道德成長》，台北：心理，1994 年 9 月初版。

王大任，〈發展人文科學與讀經問題新評估〉，《孔孟月刊》，

---

51 見 2000 年 8 月 11 日《國語日報》第 1 版〈焦點新聞〉。

25（9），1987 年。

王財貴，〈台灣的讀經運動〉（節錄），《讀經通訊》第 14 期
　　第一版，讀經出版社，1998 年 7 月。

王財貴，〈語文教育改良芻議〉，《讀經通訊》第 9 期第一版，
　　讀經出版社。

王財貴，〈讀經通訊發刊辭〉，《讀經通訊》創刊號，1995 年
　　1 月 1 日。

王財貴，《兒童讀經教育說明手冊》，國立台中師範學院語文
　　教學研究中心、宗哲社、華山講堂、讀經推廣中心出版，
　　1995 年 5 月 4 日初版--1998 年 12 月 31 日第 21 版。

朱安邦，〈崇光國小提倡校園讀經實施辦法〉，《讀經通訊》
　　第 12 期第二版，讀經出版社，1998 年 1 月。

朱安邦，〈讀經教學實施成果報告〉，《讀經通訊》第 12 期第
　　二版，讀經出版社，1998 年 1 月。

村田昇編著，林美瑛、賴昭香譯，《道德教育》，台北：水牛，
　　1992 年初版。

沈六，《道德發展與行為之研究》，台北：水牛，1986 年初版。

沈清松，〈對應快速科技發展的道德教育之人類學基礎〉，《哲
　　學與文化》月刊第 12 卷第 6 期（133），1985 年 6 月。

林助雄，〈兒童讀經與潛能開發〉，收於《兒童讀經教育說明
　　手冊》，國立台中師範學院語文教學研究中心、宗哲社、
　　華山講堂、讀經推廣中心出版，1995 年 5 月 4 日初版——
　　1998 年 12 月 31 日第 21 版。

香港 ICI 國際文教基金會兒童智慧開發研究中心提供，〈誦讀
　　經典：兒童潛能開發的有效方式〉，《讀經通訊》第 20

期第一版，讀經出版社，2000 年 1 月。

國史館、中華民國教育志編纂委員會編印，《中華民國史教育志》（初稿），台北縣：國史館出版發行，1990 年 6 月初版。

國立編譯館主編，《公民》，台北：國立編譯館。

國立編譯館主編，《公民與道德》，台北：國立編譯館。

張怡貞、蔡秉倫、王建堯，〈目前兒童讀經運動之探討〉，《國政之聲》第 31 卷第 1 期，1997 年 10 月。

莊鴻宇，〈台北在讀經－耕耘與收穫〉，《讀經通訊》創刊號，1995 年 1 月 1 日。

許惠芳，〈倫理發展與倫理皈依的過程〉，《專業倫理論文集（二）》，台北：輔大出版社，1997 年元月。

喬龍慶，〈"東"張"西"望話讀經〉，《讀經通訊》第 17 期第一版，讀經出版社，1999 年 4 月。

楊鴻銘，〈國小作文教學思考〉，《國文天地》第 14 卷第 11 期，1999 年 4 月。

詹德隆，〈倫理決定、情緒影響及德行培育的互動關係〉，《專業倫理論文集（二）》，台北：輔大出版社，1997 年元月。

劉桂光，〈開始讀經了〉，《讀經通訊》第 5 期第一版，讀經出版社。

鄭清榮，〈讀經少年莊鴻宇〉，《讀經通訊》第 20 期第三版，2000 年 1 月。

謝明昆，《道德成長的喜悅》，台北：，1990 年 7 月再版。

《孟子》。

《論語》。

《弟子規》，台南市，能仁出版社，1999 年 2 月初版一刷。

《讀經通訊》第 1—21 期，台北：讀經出版社。

http://www.chinese-classics.com.tw　讀經推廣中心網際網路。

http://www.icikids.org/6-map.htm　ICI 香港國際文教基金
會、兒童智慧開發研究中心網站。

第 七 章
「兒童哲學與倫理教育」
之理論與實踐
──以〈偷‧拿〉一文為例的倫理思考[*]

- 對兒童學哲學的迷思與誤解
- 兒童哲學的緣起與現況
- 「兒童哲學與倫理教育」的理念與理論
- 「兒童哲學與倫理教育」的實踐
  ──以〈偷‧拿〉一文為例
- 兒童哲學與倫理教育結合的可能與意義

---

[*] 本章的基本架構和內容曾於 2003 年 11 月 29 日宣讀於由輔仁大學哲學系及輔仁大學哲學師友會所主辦之「慶祝哲學系在台建系四十週年系慶暨第一屆輔仁大學哲學系建系理論與實踐學術研討會」之第一場會議。後經第二學期的課程和實務帶領經驗以及投稿《哲學論集》第 37 期時二位匿名審查人的寶貴建議，作了某幾處更動或補充，刊載於《哲學論集》第 37 期（2004 年 7 月），頁 175-206。今為此書之出版，又做了段落之更動與補充，以利讀者之閱讀，特此說明。

【內容摘要】

二十世紀八〇年代，教育家開始覺醒教育的目的是讓兒童更有理性，教育過程的焦點應放在增進思考能力。藉由基礎邏輯的適當介紹與思維訓練，學習如何正確思考，達成尤其是在倫理道德上的明辨是非的目標。其中最適當的幫助就是以邏輯和倫理學強化學習者的語言、邏輯與認知能力。美國李普曼教授（Matthew Lipman）力倡兒童哲學，就是希望讓兒童的高層次思考與其與生俱有的，對宇宙、自然、人及價值的思考興趣、上下自由思考的綜合能力，能夠得到應有的發展。輔大哲學系於 92 學年度開設的「兒童哲學與倫理教育」課程的目標即藉由教師的講授、團體討論帶領示範，讓學生習得此一新興的學術，進而有機會成爲傳播兒童哲學的種子，甚至成爲一名種子教師。本文首先介紹「兒童哲學的緣起與現況」；其次，說明「兒童哲學與倫理教育」的理論依據；再者，藉由〈偷‧拿〉一文的多次實作經驗爲例，呈現其實踐層面；最後，歸結兒童哲學與倫理教育結合的可能與意義。

【關鍵詞】

兒童哲學、倫理教育、倫理學、思考、探究團體、李普曼

> 未經檢視的人生，是不值得活的。
>
> ——蘇格拉底（Sokrates, 469~399 B. C.）
>
> 兒童是天生的哲學家。
>
> ——雅士培（Karl Jaspers, 1883~1969）

> 哲學的重要在於，形成為自己思考的能力和對重要的
> 人生問題構作自己的答案。
>
> ——李普曼（Matthew Lipman）

第一節 對兒童學哲學的迷思與誤解

曾幾何時，只要一提到「哲學」，一般人就以爲它是既艱深又枯燥的學問，這樣的成見到了二十一世紀的今天還是稀鬆平常。至於提到所謂的「兒童哲學」，又更令人費解。兒童能學哲學嗎？[1] 這裡反映出兩點迷思：

迷思一：哲學是大學哲學院系師生的專利。

然而事實上：哲學最素樸可貴之處並非一堆艱澀的專有名詞或術語，而是時時處處向生活發問的精神。因此，哲學是每個有理性的人（包括兒童）的權利。

其實有不少人曾在童年發問哲學問題，甚至展現哲學思考。如馬修斯（Garenth. B. Matthews）在《童年哲學》（*The Philosophy of Childhood*）書裡所言，「兒童天生就會作哲學」，「我站在這裡跟大學生講『第一因』的論證，可是我四歲大的女兒卻自己提出了個『第一跳蚤』的論證。」詳細內容是：1963 年，我【馬修斯】家的貓福拉肥身上長跳蚤，我準備在地下室裡用煙霧爲牠除蟲。四歲大的女兒莎拉要求觀

---

1 像發展心理學者皮亞傑（Jean Piaget, 1896~1980）的理論主張「兒童是經歷一定階段而發達的，難行使哲學的思考」。

禮,我勉強同意了,不過只准她站在樓梯上,免得被煙嗆到。
莎拉站在樓梯上,興致勃勃地看著。過了半响之後,她開口
問我:

「爸爸,福拉肥為什麼會長跳蚤?」

「喔,一定是牠和別的貓咪玩的時候,那隻貓身上的
跳蚤跑到福拉肥身上。」我漫不經心地回答她。

莎拉想了一會兒,接著又問:

「爸爸,那隻貓又是怎麼長跳蚤的?」

「那是因為另外有一隻貓身上的跳蚤,跑到和福拉肥
一起玩的那隻貓身上。」莎拉頓了頓,一本正經地說:

「爸爸,我們不能一直這樣說下去。只有數字才能這
樣一直說下去。」[2]

筆者也回想起個人的經驗,在學齡前約莫五歲時,曾問
過媽媽:

「我是誰生的?」

媽媽:「是媽媽生的。」

「那媽媽是誰生的?」

「是外婆生的。」

「那外婆是誰生的?」

「是外婆的媽媽(阿祖)生的。」

「那外婆的媽媽又是誰生的?」

……

筆者記得很清楚,當時只覺得媽媽的回答沒完沒了,似

---

2 參見馬修斯著,王靈康譯,《童年哲學》(台北:毛毛蟲,1998),
頁 3-4。

乎無法解決我心中的困惑，之後心理一直掛念這個問題。直到接觸哲學，才明確知道那是「第一個媽媽如何而來？」的問題，與「第一個人如何而來？」之人的起源問題有異曲同工之妙；而媽媽的回答正涉及了「因果關係的序列不能無限後退」的問題。

迷思二：哲學是成人的專利。

然而事實上：探索人生重要課題，不僅是人（包括兒童——未來的公民）的能力，且應是一項不可讓渡的基本權利。

如果基本上我們同意「哲學」可理解爲「一門藉由人的理智的自然本性之光探究諸事萬物的第一原因及第一原理之科學」[3]的話，那麼「哲學始於驚奇」，就如台灣兒童哲學發起人楊茂秀教授所說：「孩子處於好奇驚異之心最活潑時，應該是哲學播種的最好時機，小孩像哲學家一樣，對自己說的話感興趣，愛去玩語言的遊戲，哲學不應該只是艱澀的名詞及想不通的弔詭而已。」[4] 美國兒童哲學家馬修斯（Garenth. B. Matthews）則更明確地指出：「兒童天生就會作哲學」[5]、「哲學是一種很自然的活動，就像奏音樂、玩遊戲一樣自然」[6]。哲學的起源是「好奇」和「困惑」，兒童的學習也起源於「好奇」和「困惑」，起源於「我想知道」，兒童因爲「想知道」，進而追求答案、追求知識與學問，表現出來

---

3 Jacques Martain, *An Introduction to Philosophy* (Taipei: Yeh-yeh, 1985), p. 69.

4 參見 http://www.ptl.edu.tw/publish/bookboom/001/32.htm

5 參見馬修斯著，王靈康譯，《童年哲學》，頁 4。

6 前揭書，頁 6。

的是屬於他們自己的一套哲學觀，或是發展當中的哲學觀。

第二節　兒童哲學的緣起與現況

一、兒童哲學的緣起

　　「兒童哲學」是一九七〇年代，美國哥倫比亞大學哲學教授李普曼（Matthew Lipman）創始的一項以兒童為對象的哲學教育計畫。[7]「兒童哲學」的英文原名不是"Philosophy of Children"，不是兒童「的」哲學；[8] 在嚴格意義上，我們尚無法要求兒童解決哲學問題或形構哲學系統。「兒童哲學」是"Philosophy for Children"，也就是「為」兒童設計的哲學教育計畫，或可說是兒童的哲學訓練。李普曼首先將其建立在「思想」上，在兒童思想的研究上，也就是兒童哲學的主要內容在於「思想的思考」（to think about thinking）上，於是人們開始思索：（1）有關於兒童的思想；（2）對於兒童思

---

7 可以參見柯倩華，〈李普曼（Matthew Lipman）的兒童哲學計畫研究〉，輔仁大學哲學研究所碩士論文（1988 年 6 月）。林偉信，〈思考教育的新嘗試—李普曼(Matthew Lipman)的兒童哲學計畫初探〉，收於《社會科教育學報(花師)》（1992 年 4 月）。林偉信，〈思考教育的新嘗試—李普曼(Matthew Lipman)的兒童哲學計畫簡介〉，收於《國教園地》（1992 年 6 月）。

8 與以科學為哲學探討對象的「科學哲學」（philosophy of science）、以政治為哲學探討對象的「政治哲學」（philosophy of politics）、以教育為哲學探討對象的「教育哲學」（philosophy of education）等哲學分支不盡相同。

想改進的問題。[9] 因此，此計畫的內容簡言之就是：帶領兒童親身體驗哲學討論的過程，藉此改進及增益其推理能力。

兒童哲學計畫的目標並非要造就兒童成爲一名哲學家或決策者，所以並不嘗試教導兒童哲學史或是哲學專門術語（如「實體」、「位格」、「異化」之類的），而是希望透過這個思考方案鼓勵兒童去驗證自己的觀點，幫助勵兒童去發現和使用推理的規則，使兒童成爲更富思考、更深思熟慮、更能反省、更明辨事理、更具判斷力的個體。[10] 使兒童成爲一個良好的思考者，能夠爲自己思考，找出自己的意義。

1969 年，李普曼發表出版了他的第一部兒童哲學小說《哈利·史圖特邁爾的發現》（*Harry Stottlemeier's Discovery*）。[11] 這本令人耳目一新的兒童哲學小說標示兒童哲學的誕生。李普曼在研究如何改善大學生的邏輯思考教育時就建議：培養和訓練思考技巧，應從我們啓動思考活動的初期（童年）就開始。他認爲哲學訓練不只是背誦記憶「哲學資料」，而是使人能實際進行哲學思考活動以產生「哲學

---

9 Tony W. Johnson, *Philosophy for children: An approach to critical thinking*(Phil Delta Kappa Educational Foundation Bloomington, Indiana, 1984), p. 9. 轉引自詹棟樑，《兒童哲學》（台北：五南，2000），頁 8。

10 Banks, J. R. *A study of the effects of the critical thinking skills programs*, Philosophy for Children, on a standardized achievement test. （DAO:AAC8729998）（1987）

11 台灣地區由楊茂秀翻譯，題爲《哲學教室》（台北：台灣學生書局，1979 年 2 月初版/1982 年 6 月再版）；大陸地區則直譯爲《哈里的發現》。此書已被世界各地翻譯成包括德文、法文、義大利文、西班牙文、中文等十八種語言。

知識」。哲學是一個包含了許多重要概念的人文思想傳統，其中有許多思考這些概念的範例能夠引發兒童進行討論，事實上，這些概念（如：友情、誠實、公平、真假……）也是兒童所關心而且經常面臨的問題。因此，1974 年他於紐澤西州立蒙特克雷爾學院（Montclair State College）創立了「兒童哲學促進中心」（ Institute for the Advancement of Philosophy for Children，簡稱 IAPC），[12] 由李普曼教授和夏普教授（Ann Margaret Sharp）主持，繼續相關課程的發展與推廣工作，並提供師資培育訓練。[13]「國際兒童哲學會」（ICPIC）每兩年會在不同的國家舉辦國際會議，世界各國的兒童哲學教育工作者在會議中分享研究及教學的經驗，學會並發行英文期刊：《 Thinking 》、《 Critical and Creative Thinking 》、《 Analytic Teaching 》及西班牙文的期刊《 Aprender a Pensar 》等。[14] 基本上，IAPC 研究相關理論，倡導以「合作思考」和「探究團體」（Community of Inquiry）爲核心概念的教學方法，有系統的設計蘊涵哲學概念的兒童小說爲教材，和推廣「兒童哲學」的基本理念--以學習者本身的困惑作爲思考的起點，培養獨立思考的能力，並且以這種能力去對重要的人生問題找出自己的答案。總之，IAPC 是很有系統地促進兒童哲學的發展。

---

12 網址是 http://www.chss.montclair.edu/iapc/homepage.html。
13 根據 IAPC 的手冊，該中心的主要工作在於：課程的發展（教材和教師手冊的出版）、教育研究（包括實驗）及教師訓練。
14 參見http://forum.yam.org.tw/women/group1/child.htm。

　　由於哲學背景與家庭制度的差異，[15] 歐洲的兒童哲學性
質與美國的兒童哲學性質也有不同。歐洲承續希臘愛智的哲
學傳統，因此，其兒童哲學的重點在於教導兒童喜愛智慧。
學者詹棟樑以為：「讓兒童喜愛智慧比讓兒童喜愛思考與推
理，範圍廣得多。因為喜愛智慧，包括了目的與手段，而推
理與思考則是手段而已。因此，美國的兒童哲學在意義上是
狹義的，歐洲的兒童哲學在意義上是廣義的。」[16] 反映在實
踐上，美國的兒童哲學較強調思考與推理，而歐洲的兒童哲
學則較強調分析與判斷。美、歐這樣的差異，並無損於他們
對兒童哲學的重視與發揚。

二、兒童哲學在美國

　　至於兒童哲學的發展，應從 1970 年至 1971 年李普曼親
身以《哈利·史圖特邁爾的發現》此部小說在蘭德學校（Rand
School）教導五年級小學生開始。實驗前的測驗顯示兩組學
生沒有明顯的差別。在九週的課程之後，實驗組（參加兒童
哲學課程的學生）比控制組（未參加的學生）在「邏輯推理」
能力上高出 27 個月（computed mental age）。另一項測驗（Iowa
test）針對「閱讀能力」所進行的評估顯示，這項計畫的影響
在兩年半之後仍然有效。[17]

15　參見詹棟樑，《兒童哲學》，頁 11-12。
16　前揭書，頁 10。
17　Matthew Lipman, Ann Margaret Sharp（p.76）轉引自柯倩華，〈李
　　普曼（Matthew Lipman）的兒童哲學計畫研究〉，輔仁大學哲學

　　目前兒童哲學已經發展到爲包括幼稚園直到大學的學生在內的不同群體提供哲學探究課程，而且正在世界各地被越來越多的國家所採用。今天，在學校中，兒童哲學已是相當傑出的課程了，例如在美國超過 5000 所學校正使用《*Harry Stottlemeier's Discovery*》一書教學，[18] 近十二萬學生參與。智力專家斯坦柏格（Robert Sternberg）也讚許說道：沒有一個計畫像兒童哲學計畫一樣，教導持久及可遷移的思考技巧。[19] 筆者的想法是：固然可以肯定兒童哲學在資優教育的應用性與效用性，但這並非是兒童哲學的初衷；兒童哲學所關心的是哲學教育的普及和向下紮根，不在於資優生或專業哲學家的培育與養成。陸續有許多學者投入兒童哲學計畫的實證研究工作，發現其不論在推理能力、邏輯思考、創造力、學業成就、閱讀理解……都具正面的影響力，顯現其在高層次思考能力及學習遷移的結果。有人據此認爲這樣的效果正是資優教育所強調的重點，因而肯定兒童哲學在資優教育的應用。[20]

三、兒童哲學在大陸

研究所碩士論文（77 年 6 月），頁 27。

18 參見 http://www.temple.edu/tempress/titles/837_reg_print.html。

19 Robert Sternberg, *How can we teach intelligence* ？ (ERIC Document Production Service No. 242700, 1983). 轉引自王振德、鄭聖敏，〈兒童哲學方案評介及其在資優教育的應用〉，收於《資優教育季刊》第 68 期（1998 年 9 月），頁 6（1-8）。

20 同註 19，頁 7。

　　華人地區以大陸爲例，1997 年，雲南省昆明市的鐵路局南站小學以對教師進行兒童哲學培訓爲開端，首次將兒童哲學引入大陸，連續三年邀請美國、澳大利亞等國有關方面的專家到校培訓教師，指導教材教法。教師們還於 1998 年秋季開始合作編寫《中國兒童哲學》，在 1999 年 7 月舉辦的第三屆昆明國際兒童哲學研討會上，該校的老師第一次自信而嫻熟地用自己編寫的教材對來自國內外的專家演示了思維訓練課。21 1999 年，在上海市教育科學研究院智力開發研究所的幫助下，上海市楊浦區六一小學也開始正式啓動兒童哲學實驗課。短短幾年，不僅兒童哲學作爲學校的一門常規課程已經在一至五年級形成了一個有機的整體和連貫的系統，而且據稱：「教育應發展學生的思維能力」已經成爲一個教育理念滲透到全校教師的意識和觀念之中；同時，經由這門新課程的開發，學生們的精神面貌大爲改變，「每一個人都是思維的主體」正成爲六一小學教師和學生的一種自覺的生活方式。李普曼的兒童哲學理論可說在六一小學得到了創造性地發展。

　　據稱，兒童哲學課在六一小學的不同年級是以不同的形式進行的。針對不同年齡學生認識能力和思維能力的特點，一年級的兒童哲學課主要是讓學生「聽故事提問題」，二年級和三年級分別採用「寓言故事」和「成語故事」的形式，

---

21 參見楊雲慧，〈國內第一部『兒童哲學』教材的誕生—記昆明南站鐵小教師編寫的《中國兒童哲學》和他們的『兒童哲學』課。〉，收於《中國教育報》6 月 20 日 6 版。參見
http://www.jyb.com.cn/cedudaily/r13/jiaocai139.htm。

四年級是「時事論壇」，讓學生們就當時發生的熱門問題發表自己的意見和想法。五年級採用的形式是「辯論演講」，更注重學生自己的參與，也體現出對學生思維能力的更高要求。除了兒童哲學作爲一門基本課程的形式之外，各年級、各學科同時強調兒童哲學課的思想、內容、方法在本門課程中的滲透。比如語文課和數學課，要求教師們一方面要注意挖掘教材中滲透的哲學內容和方法，更重要的是，教師必須能夠把兒童哲學課注重培養學生的思維能力和探究精神的理念帶到本門課程的教學之中。包括思想品德課、自然課等，都必須體現兒童哲學的學科滲透。此外，六一小學還創造性的提出了兒童哲學的拓展課。開設課外拓展的物件主要是四、五年級的學生，目的在於以兒童哲學爲仲介，讓學生學習和思維的空間得以延伸，讓學生在「做」中學到知識，在參與中思維能力得到提高，探究的意識和精神得以養成。即兒童哲學課程在六一小學是以三種形式呈現的：兒童哲學活動課、兒童哲學滲透課、兒童哲學拓展課。其中，兒童哲學活動課是最基本的。滲透課和拓展課的展開以活動課爲基礎，不但借鑒活動課的經驗，而且利用在活動課上積累的經驗和取得的成果。一般的活動課的基本模式包括這樣幾個環節：先讓學生閱讀材料；由學生提出認爲感興趣、有疑問或值得討論的問題；選出一個主題進行集體討論。教師的作用主要是組織和引導。在這樣的提問和討論中，學生的判斷能力和創造性思維能力得到了發展，而且形成了一個特殊意義上的集體，接近李普曼的「探究團體」。22

---

22 網路發表於 2003 年 7 月 26 日。
　　http://www.wjstar.net/L_yuwen/ReadNews.asp?NewsID=64

四、兒童哲學在台灣

　　反觀台灣，推動兒童哲學最力的機構是民間團體「財團法人毛毛蟲兒童哲學基金會」。[23] 1976 年兒童哲學的第一本教材《Harry Stottlemeier's Discovery》由楊茂秀教授翻譯為《哲學教室》開始，兒童哲學走進了台灣，並點狀式地在一些幼稚園及學校散播了它的種子。為了更進一步地推廣兒童哲學，楊教授以及一群熱心人士將原來的工作室擴展為「財團法人毛毛蟲兒童哲學基金會」，於 1990 年三月正式成立運作，並推動於同年 7 月 26 至 28 日在輔仁大學由哲學系主辦「第三屆國際兒童哲學會議」。目前基金會做的工作包括：（一）兒童哲學教材的翻譯與本土教材的開發；（二）兒童課程的實驗及研究發展；（三）幼稚園及國小教師研習(兒童故事、兒童哲學與合作思考教學)；（四）成人讀書會、媽媽讀書會及兒童讀書會的推廣；（五）故事媽媽研習與書香活動推展；（六）圖畫書的研究與推廣；（七）毛毛蟲月刊及書籍的出版工作。[24] 也就是說，台灣本土的兒童哲學以多元並進的方式呈顯與推展。

　　若將兒童哲學視為一門學術來看，兒童哲學除了是哲學的一個分支領域外，也可視為一種「兒童研究」或「兒童學」。對於兒童研究或兒童學，如果按照研究的領域，可以粗分為

---

23 地址位於台北市和平東路二段 265 巷 17 號地下樓。網路訊息可參見
　http://forum.yam.org.tw/women/group1/child.htm及
　http://www.eshare.org.tw/7_Web/Into.asp?M_ID=332
24 參見 http://www.eshare.org.tw/7_Web/Into.asp?M_ID=332

哲學的與心理的。前者包括兒童人類學與兒童哲學,後者包括兒童心理學與兒童發展。目前國內對兒童的研究,主要偏重心理方面,而忽略了哲學方面。這一點從國內高等教育大專院校所開的課程及中文的著作,很容易發現。[25] 在理念與理論的探究上,開設兒童哲學相關課程並不多,全國哲學系僅華梵[26]、輔仁二所大學開設四學分之學年課,空中大學則開設廣播課程二學分,[27] 一些師範學院的初等(或國民)教育研究所偶或開設相關課程,[28] 或在其他課程裡放入幾周的介紹。[29] 為了避免對兒童研究之哲學與心理的失衡,學者以為今後應該針對哲學的研究,極力去推動與進行。[30]

第三節　「兒童哲學與倫理教育」的理念與理論

　　輔仁大學哲學系於 92 學年度在「倫理哲學學群」底下開設一門由筆者授課的「兒童哲學與倫理教育」課程,[31] 基

---

25 參見詹棟樑,《兒童哲學》(台北:五南,2000),自序,頁 1。
26 由輔仁大學哲學博士呂健吉老師擔任授課。
27 由柯倩華、林偉信二位老師擔任廣播主講授課。
28 如台北市立師範學院幼兒教育學系開設有「兒童哲學」一科 2 學分,目前由徐永康老師授課;國立台東師範學院兒童文學研究所開設有「兒童學」一科。台東大學幼兒教育學系曾經開設過兒童哲學的課程,是由楊茂秀老師授課。
29 如國立台北師範學院 91 學年度第一學期由林慧瑜教授的「教育哲學」課程的第 10、11 週授課主題內容。
30 同註 25。
31 93 學年度則開設由筆者授課的「兒童哲學:理論與實務」課程,

本上是兒童哲學此一新興學術與倫理學、倫理教育結合的實驗性做法。[32] 課程開設的目標即藉由教師的講授、團體討論帶領示範，讓學生習得此一新興的學術，進而有機會成為傳播兒童哲學的種子，甚至成為一名種子教師。筆者的理念、理論與實踐方式基本上是依據兒童哲學的教育哲學之理念而來，現敘述如下。

一、「兒童哲學與倫理教育」的理念

首先，蘇格拉底（Sokrates, 469~399 B. C.）被視為雅典三大哲人首席，寧可慷慨就義而不願成為一個反抗雅典政治體制的逃犯的「蘇格拉底之死」更是名留千古，也因此蘇格拉底被視為「倫理學的守護神」、「倫理學之父」。我們都知道蘇格拉底好與年輕人談論哲學，「而兒童哲學則再向前走一步，與兒童談論哲學」。[33] 其次，「談論哲學」的範圍是很

作為「兒童哲學與倫理教育」課程的進階課程。

32 在這門課程以前，筆者已有一些準備工作：（1）曾於 1999-2000 年間義務擔任社區「兒童哲學親子實驗計畫」主持人及指導老師，帶領當時國小一至二年級的學童及學童母親進行兒童哲學討論，閱讀《靈靈》一書；（2）2001 年 9 月（90 學年度）至 2004 年 1 月，每個學期於輔仁大學全人教育中心人文與藝術課群中開設有 2 學分之「兒童思考與倫理教育」課程，共已開設有五個授課班級；（3）結合網路輔助教學，於 90 年 9 月在原有的「倫理學學習網」外，增設「兒童思考與倫理教育」科的輔助網站（網址：www.fjweb.fju.edu.tw/philosophy），2003 年 9 月更名為「兒童哲學」，同時為「兒童哲學與倫理教育」與「兒童思考與倫理教育」二課程提供服務。

33 參見鄧育仁採訪、編輯部整理，〈人物專訪：Ronald F. Reed 教授訪問錄〉，收於《哲學與文化月刊》第 17 卷第 9 期（1990 年

寬廣的，筆者鑒於全球化時代的來臨、社會環境的需要、公民品格涵養的迫切，以及考量個人的學術專長與興趣，將「談論哲學」的範圍聚焦於「談論倫理（哲）學」，又兒童哲學其中含有實際帶領操作的部分，倫理哲學此時轉化爲倫理哲學（思考）教育，並期望此倫理之「知」在適當的時機可具體化爲倫理之「行」，也就達成了倫理教育的目標。借用杜威（John Dewey, 1859~1952）的話：哲學是教育的普通原理，教育是哲學的實驗室；同理，我們可以說「倫理哲學是倫理教育的普通原理，倫理教育則是倫理哲學的實驗室。」兒童哲學與倫理教育的目的正是哲學教育的普及和向下紮根的努力。

二、「兒童哲學與倫理教育」的預設

「兒童哲學與倫理教育」課程發展的兩大方向是（類於兒童哲學課程）：（一）教孩子做哲學，尤其是倫理哲學；（二）幫助孩子發展倫理哲學思考。這至少肯定了三件事：第一，兒童有能力也有興趣參與倫理哲學的討論；第二，「討論倫理哲學問題」是可以被教的；第三，這項討論對兒童是有幫助的，有助於促進他/她對倫理議題的敏感度，能爲自己做倫理思考，爲行爲尋求合理性與道德性，培養倫理意識，提昇倫理道德認知以及發展倫理關懷。

9月），頁863。

三、「兒童哲學與倫理教育」的思考

　　兒童哲學的目標之一，也可說是其教學方式的特點在於強調，形成一個哲學教室，這個教室就是一個「探究團體」（Community of Inquiry），[34] 而且主張從國民小學的階段就應該開始。「探究團體」是美國實用主義哲學家皮爾士（C. S. Peirce, 1839~1914）提出的觀念，他認為哲學探究可以依照一定的程序，以團體的討論合作完成。探究團體的觀念不僅有助於哲學教育的進行，也提供一般分科教育的新面向。

　　哲學教室除了一些教師設計的、屬於「課堂式」、「主題式」的討論課程外，也強調日常生活中的哲學思考經驗。這種思考經驗乃是在日常生活中加入哲學的材料，以期引發孩子的思考，也將有助於孩子發展自己的思考模式。這種融合生活經驗的哲學思考有三大要點，有人稱為「**3C 思考**」：

（一）**批判性（critical thinking）思考**：思考自己為何這樣想、別人為何這樣想等思考的原因。

（二）**創造性（creative thinking）思考**：探究能不能有原創性的想法，因為哲學強調的是能否創造出屬於自己的東西。

（三）**關懷性（care thinking）思考**：當進行團體討論時，是否顧慮到他人的感受（心中有「他者」）。這一點，是一般孩子缺乏的，因為我們的教育容易教導孩子「競

---

34 參見陳鴻銘，〈探究團體〉，輔仁大學哲學研究所碩士論文（1991年5月）。

爭」，而欠缺合作。好的思考不僅應該具有批判性和創造性，也要是關懷性的思考。

這三種思考的類型，可以引導孩子學習「思考的內容」、「思考的方法」以及「思考的態度」。更重要的是，要讓哲學與生活融合在一起，讓孩子能夠自由自在運用哲學的思考去面對生活的種種經驗。[35]

夏普曾列舉十五項行為特徵，以顯示孩子是良好地參與探究團體：（1）願意接受同伴的指正（2）認真看待他人的觀念（3）尊重他人（4）討論道德行為時顯現對情境脈絡的敏感（5）要求他人的理由（6）能注意傾聽他人說話（7）互相建構彼此的觀念（8）發展自己的觀念而不怕挫折或丟臉（9）對新觀念開放（10）能察覺預設（11）注意一致性（12）尋找判準（13）以言語表示目的和方法的關聯（14）詢問相關問題（15）客觀地討論。[36]

其中幾項行為正表示出一種能與他人分享、合作的態度。關於邏輯方面的要求，如一致性、判準、目的和方法的關聯直接有助於倫理探究時所需要的各項考慮（如價值澄清、維持一致性……等）。更重要的是，在參與探究團體時，對於探究程序的注意，會發展出一種敏銳、細緻的「關心」（care），以及符合民主社會的公民德行。要使一個孩子能夠負責，必須先使他能關心「怎麼做才能算是負責」。這種關

---

35 參見謝育貞，〈兒童哲學的發源地—毛毛蟲兒童哲學基金會陳鴻銘老師專訪〉。
　　http://www.nani.com.tw/big5/content/2003-04/15/content_16445.htm
36 Ann Margaret Sharp, Some Presuppositions of the notion 'Community of Inquiry'.

心無法以傳授的方式給予，只能由置身於時常需要關心的情境中逐漸培養出來。倫理教育不是將價值規範灌輸在孩子身上即可成功，更基本的方法是培養他們公平、客觀的態度以及接受新經驗的勇氣。

四、「兒童哲學與倫理教育」的教材

李普曼認為兒童哲學在教材的設計與討論的內容上必須有三項要求：第一，必須具有內在價值；第二，必須合理且有意義；第三，方法上必須具有統合性及一致性（unity and consistency）。[37]

在實際做法上，首先，可以不同類型、風格的故事文本達到不同的目的與效果。「兒童哲學與倫理教育」課程針對教育對象（如兒童的不同年齡層、文化背景的差異）以及倫理教育目的（如生命倫理、親子倫理、師生倫理、兩性倫理、友誼、正義、環保倫理、動物權與動物倫理、網路倫理、智慧財產權）等因素，需有不同的故事文本，可以是哲學小說、繪本、圖畫書，也可以像是《失落的一角》（*The Missing Piece*）、《失落的一角會見大圓滿》（*The Missing Piece Meets the Big O*）[38] 二書般文字簡短而哲理意趣極高之黑白圖畫書，甚至意含豐富的無字純圖畫書也可以。由於取材不同、

---

37 Matthew Lipman, *Philosophy in the classroom*, Preface XV. P.3
38 此二書皆由美國繪本大師謝爾‧希爾弗斯坦 文＆圖（Shel Silverstein, 1932~1999），鍾文音譯，（台北：星月書房，2000）。此二書首印中文版由林良先生譯、自立晚報社出版，曾獲選為「一九九五年中國時報年度好書」。

方式不同、風格不同，在諸多不同中，兒童哲學才能在不同的脈絡中達到它的效果。

其次，不同文化應發展出不同的兒童哲學。呂德（Ronald F. Reed）認為在不同的文化裡，需要為自己的文化寫些屬於本土的兒童故事，自然是帶有文化哲學意味的兒童故事。[39]事實上台灣也已經嘗試以自己的風格、方式，並以台灣素材、哲學傳統，來研究兒童哲學或提供兒童哲學研究的資料。這種情形就如李普曼希望各國人民以思考的方式去翻譯他的《哈利·史圖特邁爾的發現》一書的情形一樣。

五、「兒童哲學與倫理教育」的教師

強森(Tony W. Johnson)說：「兒童哲學的探討，就如蘇格拉底一樣，一位從事哲學研究的教師，必須不厭其煩地忠告學生，成為知識的冒險家，鼓勵學生為自己作思考，幫學生去對假設發現事實，和協助學生找尋更多可了解的解決問題的方法。」[40]

在這樣的教學模式中，教師應該具備何種專業素養？什麼樣的特質？首先，兒童哲學教師作為一位哲學老師，為了引領學生進行「哲學思考」，一定要有基本的哲學素養以及哲學教育相關背景，「老師起碼要懂得如何思考，懂得哲學，

---

39 同註 33，頁 863。

40 Tony W. Johnson, *Philosophy for children: An approach to critical thinking*(Phil Delta Kappa Educational Foundation, Bloomington, Indiana, 1984), p. 25.

要知道自己的哲學是什麼，這樣才能幫孩子發展出他們自己的思考」。

其次，兒童哲學教師是團體討論中的引領者或引導者，教師也是探究團體的成員之一。基本上，兒童哲學的探究活動就在不斷的澄清問題與發問當中進行。因此，教師要避免使用權威（事實上，探究團體裡不存在權威），要懂得傾聽，能尊重每位成員的意見，還要能獲得學生的信任。正如奧斯定在《懺悔錄》中說：「我的學習並非來自教我的人，而是來自與我說話的人。」[41] 教師有責任要做好教室內「對話」氣氛、程序、內容等的引導與掌握。

最後，這樣一個兒童哲學的教室——一個探究團體，其實就是一種社會化的教室（socialized classroom）。因此，教師必須保有「開放」的心胸，「開放」至少有兩層意義：（一）智性的開放－探究團體的成員對任何一個好奇的態度都應加以重視，追求任何可能的意義與結果，也應該儘量滿足任何一個人求知的欲求。（二）程序的開放－團體的成員都有表達的權利，也有對不同意見提出批判的權利。[42]

六、「兒童哲學與倫理教育」課程的設計與要求

筆者所設計的課程內容包括：（一）兒童哲學的哲學與教育學背景介紹；（二）兒童哲學與倫理道德教育的關係；（三）兒童哲學團體討論示範與實踐；（四）兒童哲學與倫

---

41 Augustinus, trans. by John K. Ryan, *The Confessions of St. Augustine*(The Catholic University of American, 1959), p. 57.
42 同註 34，頁 47。

理教育教材賞析與評論；（五）兒童哲學與倫理教育教材製
作；（六）兒童哲學與倫理教育專題研究。

　　課程進行方式基本上有四種：（一）講授：教師講授基
本知識背景；（二）分享與討論：教師帶領團體討論；（三）
研究與報告：教師指導分組研究報告，完成小論文；（四）
實習：兒童團體的討論帶領與實習。

　　因應課程設計，對修課同學亦有課程要求：除了例行聽
講與團體討論參與外，期中還須以小組為單位，推薦適當教
材五篇或五本，並對教材進行賞析與評論的工作；上學期每
一小組尚須提供專題研究，於期末發表論文一篇。[43] 筆者還
鼓勵部分有興趣的同學嘗試為適當教材撰寫《討論手冊》或
《教師手冊》，練習設計與安排團體討論的進行、步驟與內
容。[44] 到了第二學期下旬，為了驗收成果，筆者擬於一次週
六安排半天的團體討論帶領，由同學擔任種子教師，實際帶
領國小中、高年級小朋友來一場「兒童哲學與倫理教育」的
實驗課。[45]

---

43 92 學年度第一學期的專題論文研究，筆者設定三個方向，每組
　（全班分成 3 組，每組 12 人）各擇其一：（一）圖畫書/繪本與
　兒童哲學（二）中外童書中的媽媽/童書中的兩性關係（三）兒
　童哲學與倫理教育。
44 配合課程進度，有二組四人分別針對〈誰大〉、〈偷、拿〉二文
　進行討論手冊或教師手冊的撰寫，預計期末完成。類於《靈靈》、
　《哲學教室》二書，討論手冊或教師手冊通常包括三個主要的
　部分：一是「引導觀念」，二是「討論問題」，三則是「建議活
　動」，這又包括「計劃討論」和「練習」。
45 此「兒童哲學與倫理教育」的實驗課名為「輔仁大學哲學系第
　一屆兒童哲學營」，已於 2004 年 5 月 16 日（星期日）上午 9：

第四節 「兒童哲學與倫理教育」的實踐
── 以〈偷‧拿〉一文為例

　　「如何經營教室的良好思考環境？」是兒童哲學關懷的問題之一。在兒童哲學教室中，爲使團體的成員能夠直接、清楚地看到每位成員，包括面部表情和肢體語言等，在教室佈置上，通常採取圓形的桌椅排列方式。所有的參與者（包括老師和兒童）團團而坐，先共同閱讀哲學小說中的一段情節。閱讀過後兒童提出自己感興趣的主題或在情節中任何想要討論的問題（包括意義含糊的語詞、不清楚的概念和可爭辯的觀點……等），老師將問題寫下，請兒童指認有無錯誤，然後才進行討論。討論通常由「澄清問題」開始，藉著問題的澄清可以幫助每個人瞭解問題所在，也可以幫助提問者確認困惑之處。基本上，兒童哲學的探討活動就在不斷澄清問題與發問中進行。[46] 類於此，「兒童哲學與倫理教育」課程

00-12：00 在輔仁大學文華樓三樓哲學系圓滿完成。當天共有 38 名小朋友的報名參與，與本人原先的預期與理想相符。活動當天，分成三組三個場地（LI 302 地板教室， LI 306 一般教室， LI 310 討論教室）進行，每組都約有十位大學生帶領與服務。三組名稱分別是（一）海底總動員：四年級組；（二）小象幫幫：六年級組；（三）寶貝蛋：六年級與四年級混齡組。我們設有觀察席，也十分歡迎老師及家長蒞臨參觀指導。關於「兒童哲學營」的詳細情形，本人打算另文處理，以饗讀者。

46 同註 34，頁 57。

也做了設計，全班三十六人分成三組進行團體討論。[47] 以下則以筆者已有多次實作經驗[48]之〈偷‧拿〉一文為例，呈現其實踐層面。

一、〈偷‧拿〉一文[49]的內容

大熊提著水桶帶著鏟子。蹲在門口穿鞋。

「欸！大熊，去那兒？」

「到後山挖土種菊花。」

「我也去。」小熊邊穿球鞋邊說。

大熊不停地挖，地上出現一個小土窪。

小熊幫忙把土撥進水桶裡面。

風輕輕吹在他們鼻尖上。

「欸！大熊，你是小偷嗎？」小熊突然抬頭問。

「當然不是。」大熊皺皺眉，很快地回答。

「怎麼這麼問？」大熊看著小熊。

「唔……這些土是誰的？」小熊想了一會兒說。

「我不知道。」大熊聳聳肩。

---

47 兒童哲學團體討論的理想人數是 10 至 15 人，人太多則無法讓每個人都暢所欲言，失去討論的意義。

48 〈偷‧拿〉一文筆者曾帶領運用至小學生、大學生及國中小學校長等三類不同族群人身上的團體討論。

49 選自邱惠瑛/著，七星潭/圖，《貓人》(台北：財團法人毛毛蟲兒童哲學基金會/出版，思考故事系列〈一〉，2003 年初版拾刷)，頁 62-65。本文之引用已徵得作者和出版單位同意，在此一併致謝。

「不知道怎麼可以挖？」小熊認真地問。

「只挖一點點，沒關係的啦！」大熊轉頭看遠方，不看
小熊。

「如果挖很多，算不算小偷？」小熊把身體挪到大熊的
正前方，繼續問。

「挖很多？恐怕不太好吧！」大熊含含糊糊地說。

「那算不算小偷？」小熊又問。

「嗯……」

大熊想了又想。

「我不是小偷，我只是拿一點點土而已。」大熊又把臉
撇到另一邊，不再看小熊。

「是不是拿很多叫偷，拿很少叫拿？」小熊偏著頭，固
執地問。

「別說啦！走吧！快下雨了。」

大熊拉著小熊。

匆匆忙忙地走回家。

大熊和小熊一起去逛超級市場。

大熊選了一把菠菜，一盒牛肉，一袋橘子。

小熊選了一盒果凍，一包餅乾，一條口香糖。

小熊把果凍、餅乾，放進買菜的手推車裡。

口香糖塞進口袋。

「欵！怎麼把口香糖放進口袋裡？」大熊問。

「為什麼不行？」

「要付錢地呀！」大熊急急地說，眼睛不停地四處張望。

「只有一點點，沒關係地啦！」小熊手插在口袋裡，牢牢地按住。

「這樣你就變成小偷了。」大熊壓低聲音嚴厲地說。

「我不是小偷，我只是拿一點點東西而已。」

小熊張大眼睛，不解地看著大熊。

二、流　程

（一）閱讀〈偷‧拿〉一文。（約 2 分鐘）

（以小組為單位）輪流閱讀文章，每人朗讀一小段。或者，採取角色扮演，由一人負責當「大熊」，一人負責當「小熊」，一人負責「旁白」。

（二）提問題並記錄。（由各組主持人或教師將問題寫在白板上，事後謄寫於紙張繳交授課老師存檔）（約 5 分鐘）

（三）小組討論。（約 20 分鐘）

（四）小組報告與分享。（每組 5 分鐘，共 15 分鐘）

（五）全體討論與分享。（約 15 分鐘）

三、問題彙整

不管年齡、身分、性別，通常一定會提問的問題是：「何謂『偷』？何謂『拿』？」（如何定義偷、拿？這涉及價值觀、法律規範以及是否事先告知等之情況）、「偷、拿有何不同？」、「是否拿很多叫偷？拿很少叫拿？　多、少的定義與界限？」也會衍生「偷東西是不是一定會受到法律的制

裁？」、「爲什麼不用『借』的？」、「什麼是『取』？」、「考試作弊算偷嗎？」、「大熊和小熊，到底誰偷誰拿？」

其次，也會關心「大自然的資源使用（國有地）與偷拿關係？」，於是產生「後山的土是誰的？後山是公有的還是私人的？」問題。

是不是只有物質物才有偷和拿的問題？於是曾有一組國中小學校長還提過「爲什麼外遇叫做偷人？」的成人版問題。

有些人關心文中的兩位主角，問：「大熊和小熊的關係？」、「大熊和小熊是人還是熊？」[50]、「爲何用熊當主角？」、「熊穿鞋嗎？熊吃口香糖嗎？熊爲什麼會說話？」、「小熊幾歲？幾歲算小熊？幾歲算大熊？」、「大熊和小熊的性別爲何？」、「爲何小熊會有比較、類推的想法？」、「小熊真的搞不懂嗎？」、「心虛時，爲什麼不敢看對方？回答含糊不清是不是心虛？」、「如果你是大熊，你會怎麼回答小熊？」

四、討論紀錄示例

以下選輯哲學系【寶貝蛋】組 2003 年 10 月 2 日的討論紀錄：[51]

---

50 據稱，同學之所以提出這個問題是基於保護動物的心理，因爲知道熊絕不可以吃口香糖，否則會噎到這項事實，唯恐會誤導小朋友去動物園時，餵食熊吃口香糖。

51 轉載於〈輔大基本哲學學習網兒童哲學課程討論區〉之〈10 月 2 日【寶貝蛋】組的討論紀錄〉，發表時間：2003/10/13 PM 10:30:51（網址：www.fjweb.fju.edu.tw/philosophy）。

　　閱讀〈偷、拿〉這個故事後，寶貝蛋的成員分成三方面進行這個討論：

　　（一）何謂「偷」？「偷」的定義是什麼？

　　（二）「偷」和「拿」的分界是出現在什麼情況之下？

　　（三）故事中可以教導我們什麼呢？

　　討論後得到的結論整理：

　　（一）「偷」在故事中呈現的，或許是在「數量」上的界分，所以才會有「只挖一點點，沒有關係的啦！」一說，或是「我不是小偷，我只是拿一點點土而已。」；另外一個看法則是「不告而取」，偷東西這件事，是由於行為而起，「偷」是拿走不屬於自己之物，卻也沒有讓所有者知道，有別於光明正大的向所有者奪取的「搶」。

　　（二）從「偷」的定義，呈現出另一個問題，也就是「所有權」的觀念，大熊為什麼說他只是「拿」一點點土呢？推敲結果或許是因為大熊取土的後山也許不是私人土地，而是一塊公共土地（公共財）。大熊為什麼不說是「借」呢？因為他不打算還，或者是他並不需要還呢？！因為公共資源人人皆有權使用之。[52] 當然這也引起了另一個問題，是否公共資源，人人都可以一點點的去取用呢？那麼一個人去盜採大量的砂石，和一萬個人每個人都各只拿一點點的沙土，兩者

---

[52] 根據《哲學論集》其中一名匿名審查人的建議，此處或許可參閱洛克（John Locke）於其著《政府論次講》中關於私有財產來源的解釋。原初社會大自然的一切資源都是無主物，屬於全人類以及所有動物所共享，只有在個人付出勞力加工之後，才歸屬他所有；例如一塊枯木棍為人撿拾，經過他精心雕琢，成為一支精緻的柺杖，這時此柺杖便成為他個人的私有物。

相較之下，所得的結果不都算是破壞了公共資源！那麼一個人只取一點東西就不算是偷或盜嗎？乍看之下，難道偷和盜的定義就是以數量區分的？

針對上面再次論及到定義的問題，我們認為是由於結果都是涉及資源被消耗到稀少、殆盡或缺乏的緣故，所以有違反到拿了不屬於自己所有的東西。所謂物以稀為貴，像是為什麼在泰山烤肉和在陽明山上烤肉所觸及刑責是不一樣的，這是因為陽明山上特有的資源是被列為國家公園級的（稀少），所以就產生不一樣的管理方式。如此說來，上陽明山烤肉會遭到警察的罰令，所以只要去泰山烤肉就沒關係？

這裡也涉及到另一個「懲罰」的觀念，其實關於為什麼不應該在山中烤肉，是要避免造成森林大火而破壞了自然生態。那麼難道「偷」是界定在於有懲罰性（偷偷的到陽明山上烤肉）。所以，故事中，也許小熊在超級市場把口香糖放進口袋而不付錢，大熊擔心他的原因是：因為怕被店家捉到而要罰錢或送警局！？

總合以上，我們想到了約束力量的分別，也就是說涉及到的是「人為法」[53] 和「自然法」的區分。為什麼故事中，是以擬人化的熊為主角而不是人呢？明明「熊」這個動物在使用自然資源是不會涉及到違法的觀念，所以我們認為這是

---

53 網站上的原文是「人文法」。按照聖多瑪斯將法律區分為四種：分別是永恆法（Eternal Law）、自然法（Natural Law）、神聖法（Divine Law）與人為法（Human Law）。因此，據同一名匿名審查人的建議將「人文法」修正為「人為法」或「人類法」。

要對比出不同法則的相異點。所謂偷的行為涉及到所有權的問題，這是文明之下才有分別，試問在森林中的小猴子吃樹上的蘋果和果農所反應台灣獼猴波及到他們生計二者的區別，對猴子而言是沒有區別的，有差別是發生在人的身上。

　　所以為什麼大熊在後山和小熊在超級市場都只拿了一點點的東西，卻衍生出拿和偷兩種不同的想法？超級市場是人類文明下的一種產物，而後山（除非是依照人類規劃土地經過買賣交易而有的私人土地），通常都屬於公共的。在文明產物下所要遵循的是人為法，[54] 所以是受到法律性的約束力量；而公共資源則是遵循著自然法，所謂的自然法是遵循著生態的自然平衡為準則，以不破壞自然為前提，即可享受著使用自然的權利。

　　這就可以說明為什麼盜採砂石是違法的，而大熊在後山拿一點點土可以不算是偷。因為盜採砂石所挖走的土，已經牽涉到破壞生態平衡的問題，所以在文明的法則下，是觸及人為法的。而大熊則是要接受自然法的衡量。像是與大自然息息維生的山地族群，就有今天在東邊七公里處掠取鳥為食，明天就得到往西邊七公里處覓食。

　　這就是一種要維繫生態平衡上的一個例子，其實人為法會被提出，就是因為人們發現，人的慾望的需求是比自然資源供給上大的多，而我們只有一個地球，為了要與他生生不息的互依互存，我們就必須用理智來克制過多的慾望，以免我們因為慾望而破壞了自然的法則而造成失衡的情況。如此

---

54 同上註。以下三處均據此而修改。

在人類世界中，有了人為法的規定，也有了「偷」和「拿」的區分。

（三）這個故事除了「偷」和「拿」問題的思考之外，還有什麼是要告訴我們的呢？

我們發現在像小熊一樣，有了問題的意識，所以會突然地抬頭問「欸！大熊，你是小偷嗎？」面對這樣的疑問，我們應該儘可能地告訴詢問者【作者按：尤其是孩子、兒童】，並使他了解，而不應該模糊不清的帶過，否則很可能會造成像小熊一樣的誤解。這就像是道德感的培養一樣是需要清楚明白的，古者有云「不以善小而不為，不以惡小而為之。」

另外，到超級市場裡，大熊和小熊分別所購買的東西，可以大略分為自然食品：菠菜、牛肉、橘子（大熊所要買的）；以及小熊挑的果凍、餅乾、口香糖等人工加工食品，這也是教導我們認識不同食品的一項來源。

第五節　兒童哲學與倫理教育結合的可能與意義

二十世紀八〇年代，教育（學）家開始覺醒教育的目的是讓兒童更有理性，教育過程的焦點應放在增進思考能力。藉由基礎邏輯的適當介紹與思維訓練，學習如何正確思考，達成尤其是在倫理道德上的明辨是非的目標。其中最適當的幫助就是以邏輯和倫理學強化學習者的語言、邏輯與認知能力。據此，兒童哲學與倫理教育結合的方向是值得肯定的，是有一定的時代意義的，其嘗試也是可行的。因此，回應「使

輔仁大學哲學系能發揮其積極入世的意義」的緣起和目標，
輔仁大學哲學系不但能依循傳統有學理上的發展，也能與社
會發展脈動及其他學門領域相互結合，在在顯示哲學系活潑
的生命力及生生不息之道。

　　在兒童哲學與倫理教育結合上，我們跨出了一小步，在
許多面向上還需要努力，並以哲學批判反省的精神來審視這
樣爲傳統哲學與哲學教育提供的新方向是否可能？要如何
使它可能？對關心哲學普及和哲學向下紮根的人來說，我們
還有漫長的路要走。

參考書目

馬修斯著，王靈康譯，《童年哲學》，台北：毛毛蟲，1998。

林偉信，〈思考教育的新嘗試──李普曼（Matthew Lipman）
　　的兒童哲學計畫初探〉，收於《社會科教育學報(花師)》
　　（1992 年 4 月）。

王振德、鄭聖敏，〈兒童哲學方案評介及其在資優教育的應
　　用〉，收於《資優教育季刊》第 68 期（1998 年 9 月）。

林偉信，〈思考教育的新嘗試──李普曼（Matthew Lipman）
　　的兒童哲學計畫簡介〉，收於《國教園地》（1992 年 6
　　月）。

邱惠瑛，〈偷‧拿〉，收於《貓人》，台北：毛毛蟲兒童哲學
　　基金會，2001 年初版 3 刷。

柯倩華，〈李普曼（Matthew Lipman）的兒童哲學計畫研究〉，
　　輔仁大學哲學研究所碩士論文（1988 年 6 月）。

陳鴻銘,〈探究團體〉,輔仁大學哲學研究所碩士論文（1991
　年 5 月）。

楊茂秀譯,M. 李普曼著,《哲學教室》,台北：台灣學生書
　局,1979 年 2 月初版/1982 年 6 月再版。

楊茂秀譯,M.李普曼著,《靈靈》,台北：毛毛蟲兒童哲學基
　金會,2003 年初版 6 刷。

詹棟樑,《兒童哲學》,台北：五南,2000。

鄧育仁採訪、編輯部整理,〈人物專訪：Ronald F. Reed 教授
　訪問錄〉,收於《哲學與文化月刊》第 17 卷第 9 期（1990
　年 9 月）。

謝育貞,〈兒童哲學的發源地—毛毛蟲兒童哲學基金會陳鴻銘
　老師專訪〉。

謝爾・希爾弗斯坦 文＆圖（Shel Silverstein, 1932~1999）,鍾
　文音譯,《失落的一角》（*The Missing Piece*）,台北：星
　月書房,2000。

謝爾・希爾弗斯坦 文＆圖（Shel Silverstein, 1932~1999）,鍾
　文音譯,《失落的一角會見大圓滿》（*The Missing Piece
　Meets the Big O*）台北：星月書房,2000。

Augustinus, trans. by John K. Ryan, *The Confessions of St.
　Augustine*. The Catholic University of American, 1959.

Banks, J. R. *A study of the effects of the critical thinking skills
　programs*, Philosophy for Children, on a standardized
　achievement test.（DAO:AAC8729998）（1987）

Johnson, Tony W. *Philosophy for children: An approach to
　critical thinking*. Phil Delta Kappa Educational Foundation

Bloomington, Indiana, 1984.

Lipman, Matthew. *Philosophy in the classroom*, Preface XV. P.3

Martain, Jacques. *An Introduction to Philosophy*. Taipei: Yeh-yeh, 1985.

Sharp, Ann Margaret. Some Presuppositions of the notion 'Community of Inquiry'.

Sternberg, Robert. *How can we teach intelligence*? (ERIC Document Production Service No. 242700, 1983).

http://www.ptl.edu.tw/publish/bookboom/001/32.htm

http://www.chss.montclair.edu/iapc/homepage.html

http://forum.yam.org.tw/women/group1/child.htm

http://www.temple.edu/tempress/titles/837_reg_print.html

http://www.jyb.com.cn/cedudaily/r13/jiaocai139.htm

http://www.wjstar.net/L_yuwen/ReadNews.asp?NewsID=64

http://forum.yam.org.tw/women/group1/child.htm

http://www.eshare.org.tw/7_Web/Into.asp?M_ID=332

www.fjweb.fju.edu.tw/philosophy

http://www.nani.com.tw/big5/content/2003-04/15/content_16445.htm

第八章　經濟全球化與儒學「家」倫理[*]

與增刪，特此說明。

---

[*] 本章的初稿原為宣讀於由中華倫理教育學會與台灣師範大學三民主義研究所主辦之「第三屆兩岸倫理學術研討會」之會議論文（台北：台灣師範大學，2002 年 12 月 11 日）。該會議主題為「經濟全球化對中華傳統倫理的衝擊與影響」。初稿經部分修改後曾刊載於《哲學與文化月刊》第 30 卷第 5 期（348）「儒家倫理學專題」，頁 83-94。今為此書之出版，又做了段落之更動

【內容摘要】

　　本文首先簡單說明「全球化」與「經濟全球化」的意含，指出可能帶來的文化融合層面；繼而從分偶家庭（台商家庭、內在美家庭）的增加、晚婚晚育及獨生子女的群體現象、「家」的多元論述等三方面探討經濟全球化對傳統儒學「家」與「家」倫理的解構所造成的衝擊與影響；最後從儒家德行倫理指出可有的因應與成全之道。

【關鍵詞】

　　全球化、經濟全球化、儒學、家、家倫理、德行倫理

第一節　引　言

　　九〇年代以來，以資訊技術革命爲中心的高新技術迅速發展，不僅衝破了國界，而且縮小了各國和各地的距離；生產力高度發展使所有生產要素和經濟關係跨越國家和地區界限而自由流動，使全球的世界經濟越來越融合爲一個難以分割的整體。經濟全球化已顯示出強大的生命力，並對世界各國經濟、政治、軍事、社會、文化等所有方面，甚至包括思維方式等，都造成了巨大的衝擊。任何國家既無從反對，也無法迴避，唯一的辦法是如何去適應它，積極參與經濟全球化，並在歷史潮流中接受檢驗。

　　在這個日益全球化的地球村，新的生活方式正逐漸形

成，也朝向形構新的生活秩序；爲適應新的生活秩序，新的
價值系統包括倫理的價值系統亟待建立，而傳統的倫理價值
面臨挑戰，必須作出回應。本文以儒家倫理爲據，探討經濟
全球化對傳統儒學「家」與「家」倫理的解構所造成的衝擊
與影響，並反思儒家德行倫理可有的因應與成全之道。

第二節　「全球化」與 「經濟全球化」

一、全球化的意含

「全球化」（Globalization）作爲一個新名詞，還未滿二
十年，它是 1985 年由美國學者提奧多爾・拉維特（Theodore
Levitt）在其《市場全球化》一書中首次提出的，隨即在國際
經濟學、國際政治學和國際文化學中獲得普遍使用。[1] 國外
有學者認爲：「全球化是沒有時間和空間區別的互相依存」，
「全球化是市場、法律和政治的非國家化的進程，它爲了共
同的利益將各民族和個人聯結在一起」，「全球化是一種過
程，它促使世界各地的人們在文化、經濟、政治、技術和環
境等生活的各個方面越來越多地相互連接在一起」。但也有
學者只強調突出「經濟全球化」，認爲這是「資本主義這種

---

1 參見伍貽康，張海冰，〈全球化與一體化辨析（一）〉，《世界
　經濟研究》，2002 年 10 月 11 日。
　http://www.in.ah.cn/qqh/02101195522.htm

經濟體制對世界空間的主宰」。[2]

　　中國大陸與台灣學者也在起源和範疇上有衆多不同的看法，有把全球化起源追溯到地理大發現，也有認爲始於 19世紀 20 年代或 19 世紀末 20 世紀初。我們則認爲應把「經濟國際化」和「經濟全球化」從階段上區分開來，強調是在二次世界大戰結束後，尤其是在 20 世紀 70 年代以來國際貿易、國際投資和跨國公司充分發展的情勢下，才使經濟國際化真正向經濟全球化轉換和提升。直到 80 年代甚至進入 90年代，由於國際政治經濟發生歷史性大變革，市場全球化得到真正確認，經濟全球化才得以呈現加速發展態勢。依此，如果「全球化」專門指第二次世界大戰以來的經濟、科技、資訊、文化的跨國化過程，尤其是冷戰結束以來，跨國的資訊、金融、技術、商業文化，如何不斷跨越民族國家疆界，而形成某種與民族國家同步的所謂社會科學還無法妥善處理的新現象、新挑戰。[3]那麼全球化就不應簡單地化約爲西方化、美國化、麥當勞化、好萊塢化、迪士尼化，或冷戰結束後的一元化或多元化，甚至也不應簡單地等同於資本主義，或簡單地等同於商品化的過程；雖然與資本主義化、商品化

---

2 參見黃平，〈全球化挑戰與文化認同危機〉。
　http://www.huaxia.com/HaiXiaJuJiao/JiaoDian/ZhongHuaWenHua
　YuLiangAnGuanXiLunTan/YanLunWenZhai/GBK/32789.html
3 同上註。比起 19 世紀末的國際化，今日的全球化之概念，衍生自資訊科技與知識經濟的蓬勃發展，這些現象也使得全球化更爲密集、更爲全面、更爲機動、更爲快速。與國際化在很多的面貌上不同，因爲它對寰球的衝擊更深更廣。參見洪鎌德，〈全球化下的認同問題〉，《哲學與文化月刊》（台北），第 29 卷第 8 期（339），2002 年 8 月，頁 689-695。

密切相關。或許可以說，所有的民族國家形態，都受到了全球化的挑戰，包括已開發國家，也面臨著如何適應它的問題，否則如何解釋在這些包括美國的已開發地區出現的貿易保護主義、民族主義、新法西斯主義呢？

至於對全球化的認同與否，贊成全球化者高唱市場經濟的自由貿易主張，將有利於世界資源的開發與利用。但是來自宗教界、學界、及人權、勞工、婦女、環保、消費者保護運動等許多民間團體，則匯集成一股空前的反全球化力量，警告世人全球化所可能帶來的生態浩劫、貧富懸殊、階級差異拉大、地方語言文化傳統瀕臨滅絕威脅、世界性的政治右傾、國際資本的流通利益獨厚西方國家、第三世界或南半球國家被變相剝削或邊緣化、社會正義公理失落、人類思維單向化等問題，將不利於人類的生存與永續發展。這兩股力量的對抗，衝擊全球世人。[4]

二、全球化的多個層面

至於全球化所涉及的範疇，既不能任意擴大甚至濫用，也不應僅僅限定在經濟領域，至少不同領域的全球化詞義是有差別的。關於全球化包含的範圍，美國全球化理論權威、

---

4 參見莊坤良，〈迎/拒全球化〉，《中外文學》（台北），第 30 卷第 4 期（352），2001 年 9 月，頁 8-25。至於世界規模的反全球化運動可參見楊偉中，〈世界反全球化鬥爭與台灣左翼青年運動〉一文。http://linkage.ngo.org.tw/worldeconomic&glbalization/globalization&youth.htm

哈佛大學甘迺迪學院院長約瑟夫・奈的看法有較高的代表性。他認為：全球化的第一個層面是經濟全球化，包括資金、資訊、商品、服務在全球範圍遠距離的流動；[5] 第二個層面是環境全球化，空中和海洋遠距離的物質傳送，影響到全球環境的污染和保護；第三個層面是軍事全球化，就是使用武力的危險促使了全球軍事上的聯繫；第四個層面是社會與文化的全球化，包括宗教的傳播、科技知識的推廣和文化的交流。全球化還體現在政治、法律、娛樂等方面。這自然包括：保衛和平的全球化，保障人權的全球化，體育和電影、電視的全球化等等。我們雖然不能說，現代化等於全球化，但卻可以說，現代化必然走向全球化。[6]

其中，第一個層面「經濟全球化」這個詞，至今沒有一個公認的定義。從生產力運動和發展的角度分析，經濟全球化是一個歷史過程：一方面在世界範圍內各國、各地區的經濟相互交織、相互影響、相互融合成統一整體，即形成「全球統一市場」；另一方面在世界範圍內建立了規範經濟行為的全球規則，並以此為基礎建立了經濟運行的全球機制。在這個過程中，市場經濟一統天下，生產要素在全球範圍內自由流動和優化配置。因此，經濟全球化是指生產要素跨越國界，在全球範圍內自由流動，各國、各地區相互融合成整體的歷史過程。

5　《世界經濟學大詞典》特別指出「全球化的基礎和主要內容是經濟全球化」。

6　參見林牧、樊百華，〈全球化的誕生與內涵──中國需要融入全球化（上）〉。http://www.asiademo.org/gb/2000/09/20000923b.htm

至於第四個層面的全球化還是一個文化概念。文化的全球化基本上以經濟全球化爲前提，是在經濟全球化的發展中，由各民族文化相互碰撞和整合而產生的。例如當我們打開電腦與網際網路（互網）時，我們便開始進行國際化、全球化。即便是收音機、電視的開啓，尤其有線電台的裝設，我們可以即時聆聽或觀賞到遠在韓國、日本的世足賽，釜山舉行的亞運賽，世界三大男高音的演唱會，甚至直接收看NBC 或 BBC 的新聞報導，知道世界大小事。這對不使用電腦的人，也是另一種形式的全球化。全球化似乎使得世界越來越小，也由於越來越「超時空」、「資訊化」、「虛擬化」，世界變化似乎越來越大。全球化影響所及可以大到國家的組織機構，也可以小到個人日常與內心的生活。後者明顯地牽連到個人的生活作息，與別人的溝通（包括手機的使用）之迅速便捷，從而牽動家庭結構、社會結構的變化。近年來女性角色的重新塑造與提升，便是全球化的結果。[7] 文化的發展是一種動態過程，尤其在全球化的資訊時代，文化的融合是大的趨勢。當然，這種融合需要對話與交流，而對話與交流務必要避免兩個誤區：一個是文化霸權主義，[8] 一個是狹隘的民族主義。[9] 因此文化的全球化，其初級表現爲文化的相互瞭解和傳播，中級表現爲各種文化融合過程的衝突和碰

7　參見洪鎌德，〈全球化下的認同問題〉，《哲學與文化月刊》（台北），第 29 卷第 8 期（339），2002 年 8 月，頁 689-695。

8　筆者將此文化歧視也稱之爲文化沙文主義。

9　參見戴路，〈關於文化全球化的幾點思考〉，《中國青年報》（2001 年 12 月 6 日）。
http://www.ccyl.org.cn/zuzhi/lldt/2001/lldt20011228.htm

撞，高級表現則是各國各種文化的共同提升。[10]

第三節　經濟全球化對儒學「家」倫理的挑戰、衝擊與影響

　　隨著經濟的全球化，產品、技術、資本、資訊這些東西如此大規模和高速度的跨國化，已經構成了某種新型的殖民化過程，它們也帶來了新的時尚、風氣、品味及價值觀念，新的生活方式。這些文化意義上的技術－資訊的全球擴散，帶來新的價值觀念與生活方式，可以統括爲一種文化意涵。這種新的文化可能與地區原有的價值觀衝突，在本文有限的篇幅內，就以我們主流文化儒家所重視突出的「家」倫理作爲考察的重點。

一、傳統儒學的「家」倫理

　　《孟子・離婁上5》言：「人有恆言：天下國家。天下之本在國，國之本在家，家之本在身。」《大學》言：「古之欲明明德於天下者，先治其國；欲治其國者，先齊其家；欲齊其家者，先修其身；……身修而後家齊，家齊而後國治，國治而後天下平。」、「一家仁，一國興仁；一家讓，一國興讓……」。在以宗法血緣所組構的中國社會文化中，「家」或「家庭」是倫常關係以及人際關係的核心與基礎。個人生於斯、長於斯、婚於斯、養（子女）於斯、老於斯也死於斯，

---

10 同註 1。

生命的始與終都繫於「家」或「家庭」，可說是傳統中國人生命中最重要的地方。《孟子·滕文公上 4》言：「孟子曰：人之有道也，飽食煖衣，逸居而無教，則近於禽獸。聖人有憂之，使契爲司徒，教以人倫：父子有親、君臣有義、夫婦有別、長幼有序、朋友有信。」因此，儒家五倫[11]中就有夫婦倫、父子倫與兄弟倫（長幼有序）等三倫直接與「家」或「家庭」相關連。《易經·序卦》又言：「有天地，然後有萬物；有萬物，然後有男女；有男女，然後有夫婦；有夫婦，然後有父子；有父子，然後有君臣；有君臣，然後有上下；有上下，然後禮義有所措。」[12] 其中，「君子之道，造端乎夫婦」[13] 故，夫婦倫（男女兩性倫理）從生發的角度言又作爲五倫之基。「家」始於一陰一陽即一男一女的兩性結合，而後有了他們的子女，子女可能不只一個，於是從夫婦倫延

---

11 心理學界和社會學界還稱五倫爲「五類社會對體」。將「人倫」或「社會對體」（social dyad）解爲兩人之間大致依照著定型的行動舉止交互影響或互動的關係。孟子首倡的五倫之說，復興於宋，宋儒朱熹還將五倫之教揭示於白鹿洞書院；明宣宗（在位年 1436~1449）特撰五倫書闡揚五倫之道，英宗（在位年 1436~1449）並於正統 12 年（1447）頒行天下。此後數百年間，有關五倫的著述、詩詞、劇本等等的刊刻，不僅通行於中國，亦且流傳於日本，乃至韓、越。使五倫或五達道及三達德構成中國傳統道德的精華。五倫說的特點在於將五類社會對體的交互關係看成對等的，漢、唐儒似因其說沒有淵源，所以只說五教、十義，或論三綱、六繼而不提五倫。參見芮逸夫，〈中國儒家思想的現代化〉，收於《現代化與中國化論集》（台北：桂冠，1985 年 3 月），頁 17 及頁 19-25。

12 《禮記》也云：「男女有別而後有夫婦之義，夫婦有義而後父子有親，父子有親而後君臣有正。」

13 見於《中庸》12 章。

伸出父子倫（父母與子女）與兄弟倫（兄姊與弟妹）。這就是傳統的核心家庭，作爲中國社會中基本的家庭結構，父慈子孝[14]、兄友弟恭[15]、夫和婦柔[16] 也就形構了儒學「家」倫理的主要內涵。傳統中國社會成員，其文化能力的培養，尤其人格及倫理道德的涵養，常常在家庭，而在家庭裏作出突出貢獻的常常是母親或父親，儒家精神之所以代代相傳，不是靠知識或文化精英，不是靠君王的命令，也不一定靠正規的學術規範，而主要在家庭裏靠母親或父親的身教與言教傳下來的，也可以說是一種庭訓的具體實踐（家庭教育）。

二、經濟全球化對傳統「家」與「家」倫理的解構

傳統儒家對「家」的重視，由於經濟全球化至少間接[17] 造成「家」的意義的改變，也造成倫常關係改變，這是對家庭倫理的挑戰與衝擊。首先是基本家庭結構的解構。

（一）分偶家庭（台商家庭、內在美家庭）的增加

例如爲求成本降低，台灣許多企業到大陸設廠，造就了爲數不少的分偶家庭現象。其他像海峽兩岸聯姻因政治法律

---

14 《大學》：「爲人子，止於孝；爲人父，止於慈。」
15 《尚書‧舜典》：「慎徽五典，五典克從。」孔穎達疏曰：「徽，美也。五典，五常之教：父義，母慈，兄友，弟恭，子孝。」
16 《左傳‧昭公二十六年》：「君令臣恭，父慈子孝，兄愛弟敬，夫和妻柔，姑慈婦聽，禮也。」至《禮記‧禮運》把人倫關係概括爲「十義」：「父慈、子孝，兄良、弟弟，夫義、婦聽，長惠、幼順，君仁、臣忠。」
17 尚未有直接證據指明其因果關係。

因素、夫妻因工作關係分居兩地的暫時分偶家庭或因新移民潮所造成的「內在美（內人在美國）」[18] 等分偶家庭增加。分偶家庭由於夫妻及父母子女的相聚相處時間不多，互動有限，易導致夫婦倫及父子倫的疏離或異化。常聽人理直氣壯地辯解自己的感情或親子關係是「重質不重量」，以為一星期帶女友或老婆上一次館子或看一場電影、假日陪孩子到兒童樂園玩了就已經盡責。其實沒有一定的量哪有質可言？「家」所承載的就是食衣住行、吃喝拉撒睡、喜怒哀樂的總和。沒有透過日常瑣事怎麼可能真正參與到家人的生活世界、走入家人的生命？夫婦如此，父母子女亦然。暫時短週期的分偶家庭還好，長期的分偶家庭就必須面臨更嚴峻的挑戰。[19] 台商外遇、包二奶的社會現象就是分偶家庭的後遺症。

（二）晚婚晚育及獨生子女的群體現象

晚婚晚育已經是全球趨勢。另外像中國大陸在人口政策上於 1979 年後開始實驗計劃生育之政策，採取「一胎化政策」（或稱「獨生子女政策」），嚴格規定每對夫婦只能生育一個子女。公民的二胎或三胎生育權的產生除了應具備一胎生育各項條件外，還要具備諸多人口法規規定的各種條件。

---

18 也許是加拿大、澳洲或紐西蘭等地。男人隻身在台灣打拼掙錢，妻子陪著小孩在國外求學的分偶家庭現象。

19 據了解，分偶家庭的太太常報喜不報憂，而把壓力累積在心裡，但先生不知情無法分擔，所以見面時二人互相期待上有所落差，常出現口角導致先生不愉快的離去，婚姻出現裂痕。轉載自第九十二期《台加文化協會簡訊》。
http://www.tbsn.org/chinese/journal/tbn3/231/pd-03.htm

根據這些規定，實際可以享有這種多胎生育權的公民，已爲數不多。[20] 這「一胎化政策」導致獨生子女的群體現象、嚴重偏離的性別比，以及未來形成所謂「婚姻市場擠壓」[21]、大陸人口老齡化和因避孕失敗而必須結束妊娠的手術－人工流產數量的增加。[22] 這種單一子女的家庭結構使家庭關係開始大大簡化，獨生子女不存在兄弟姊妹的手足關係，他們的下一代也不再有伯叔姑姨舅的親屬關係。姻親方面則同樣只有配偶的直系血親。傳統家庭龐大的親屬網絡將簡化到家庭發展必須的最小限度，只是配偶雙方的直系親屬、血親集團，範圍僅包括子女、配偶雙方的父母、祖父母和外祖父母。儒家傳統的五倫關係，立即少了一倫——兄弟倫（長幼有序），人與人之間除了性與生育關係之外，不具有其他親緣關係，現在的許多關係及行爲規範將通通消失或失去作用，從而改變人際對話交往的觀念與準則。

　　其次，獨生子女在一定歷史階段中的這種集中化趨勢，將使獨生子女承擔起未來社會人口老齡化所帶來的巨大經

20　參見楊遂全，《中國人口法律制度研究》（北京：法律出版社，1995 年 12 月），頁 30。但是，大陸各省區近來紛紛以地方立法形式修訂「人口與計劃生育條例」，不再硬性規定只能生一個子女，並放寬生育第二胎的限制，顯示中共多年來採行的計畫生育政策已出現鬆動。2002 年 8 月 2 日中央社即時新聞。
　　http://www.cosn.net/news/page/200285111449.html

21　參見程超澤，《中國大陸人口增長的多重危機》（台北：時報，1995 年 10 月），頁 318。

22　參見潘小慧，《論生育倫理與國家政策—以中國大陸「一胎化」政策爲例》（1998 年 9 月），輔仁大學中西文化研究中心專題研究計劃成果報告，頁 35（1-62）。也可參見本書第三章。

濟壓力。所以，未來社會勞動人口的減少和人口的老化必須
以提高一代新的勞動力的心理、文化質素和創造才能作爲補
償。獨生子女在廿世紀所受的教育，就是爲下世紀實現更高
社會經濟目標所做的必要準備。但是大陸獨生子女是否能承
擔起未來巨大的經濟和心理的壓力，成爲跨世紀繼往開來的
一代而承擔未來歷史的重責大任呢？程超澤教授以爲「結論
是悲觀的！」[23] 他的分析可參見本書第三章〈論生育倫理與
國家政策——以中國大陸「一胎化」政策爲例〉

　　現今大陸部分都市化高的城市和台灣，已有越來越多已
婚男女，尤其是女性，由於全球化帶來女性角色的重新塑造
與提升，加上女性主義的抬頭，他（她）們是有意識地、自
主地、明智地選擇只生育一個子女。這種晚婚晚育以及獨生
子女的群體現象，直接挑戰與顛覆了兄弟倫，也改變了父子
倫，因爲「孝順的父母」會多於「孝順的子女」。

（三）「家」的多元論述

　　更有甚者，新的時尙與思潮賦予「家」更多元的意義，
或者說「家」在新世代以各種不同或另類的形式呈現：不是
只有一男一女（異性戀）及他們的婚生子女所組成的才是
「家」，其他像是只婚不育的頂客族、單親、繼親、隔代教
養、（男/女）同志，甚至也有人宣稱單身一人、不婚而同居，
甚或不婚而生子者所構築的也是一種「家」或「家庭」。在
真實社會生活中，因爲種種因素，家庭的樣貌確實已非常多

---

23 同註 21，頁 330。

元，包括上述之單親家庭、孤兒院家庭、隔代教養家庭、無
子女家庭、一人家庭、兩地分偶家庭、同居家庭等等。婦女
新知推出「女人造家計畫」的宗旨之一即宣稱：「推廣社會
對多元家庭的尊重，包括單親家庭、分偶家庭、單身家庭、
隔代家庭、同居家庭、同性戀家庭等。」

　　「家」（home）的研究在國外受到如建築、歷史、社會
學、人類學，尤其是環境心理學諸多學科的重視，[24] 從八○
年代開始，英美的兒童讀物中，也出現許多諸如「我的爸爸
媽媽離婚了」、「我的新媽媽」（離婚、再婚繼親家庭）；「開
放的領養」（不隱瞞小孩被領養的身世）；「我有兩個媽媽」、
「爸爸和他的室友」（女同性戀、男同性戀家庭）等題材；
例如《好事成雙》一書[25] 則以顛覆傳統、不按牌理出牌的方
式，加上生動詼諧的插圖，從孩子的角度替一對感情不睦、
愛爭吵的問題父母共謀解決方式。也有學者為「對抗父權家
庭意識形態的傳播與複製」，鼓勵從教育、法律、大眾傳播、
論述及空間實踐上各方面施力，主張「在居住經驗上發展非
父權家庭之另類家戶形式亦是對抗父權家庭意識形態之實
踐。」[26]

　　還有，藉由媒體、電影、暢銷歌詞、偶像劇、偶像明星

---

24 參見畢恆達主編，《家的意義》，收於《應用心理研究》第 8 期
　　（台北：五南，2000 年 12 月），頁 55。
25 巴貝柯爾文＆圖，郭恩惠譯，《好事成雙》（台北：格林文化事
　　業股份有限公司，2000 年 7 月）。
26 參見吳瑾嫣，「女性遊民研究：家的另類意涵」，收於《應用心
　　理研究》第 8 期《家的意義》（台北：五南，2000 年 12 月），
　　頁 83（83-119）。

所傳遞出的西方式的、開放的性愛觀也影響了東方的中國人的性愛與婚友態度。廿一世紀是個旅行世紀，才要開始認識對方，可能又要展開下一段旅程。「跟著感覺走」的流行思潮反映在各個層面，於是「不在乎天長地久，只在乎曾經擁有」的速食愛情成了家常便飯，祖父母年代的「從一而終」成為神話。[27]

　　「家」的論述是多元了，這只說明了現象的多元，並不表示就是多元價值的呈現。價值是善，一個違反倫理道德的生活方式還能是價值的載體嗎？在過去二十多年裡，已開發國家的婚姻家庭觀念的確有了改變，如前述，表現為結婚率下降、離婚率升高、同居而不結婚的家庭增加、單親家庭、同性家庭增加。已開發國家既沒有提倡、也沒有反對這種現象，而是確認家庭有多種組織形式。梵蒂岡在 1994 年開羅國際人口與發展會議上，堅決反對這種現象默認的作法，他們強調：「家庭是由男人和女人組成，不能對家庭重新定義，我們不同意家庭有多種組織形式，強烈拒絕任何削弱傳統家庭的作法。」伊斯蘭教國家伊朗代表也強調：「不應該讓我們接受不道德的行為，如同性戀。」[28] 儒家似乎沒有代表在會議上說了什麼話。原該是「甜蜜的家庭」的高唱者，現在卻面臨「家」的穩定結構似乎不保，「家」倫理式微，還被

---

27 在現今的兩性教育裡，側重的是「分手的藝術」和「如何正確使用保險套」等解決現實問題的方案，而不是強調「愛」與「尊重」的理念層次。

28 參見陳勝利，〈人口與發展是全球關注的焦點－開羅國際人口與發展會議一般性辯論側記〉，載於《人口研究》，第 18 卷第 6 期（1994 年 11 月），頁 41。

冠上父權家庭意識形態的大帽子，真是冤枉！但我們仍可追問：儒學的「家」倫理該當如何？儒學的「家」倫理已經無力回天了嗎？

第四節　結論：儒學「家」倫理的普遍意義

其實，情況並沒有那麼悲觀。真理從來不是表決而來的。溯源至儒學產生的最初，是對禮崩樂壞的時代提出一種意義顯豁的因應之道，以建立新的社會秩序以及安身立命的恆常之道。儒學倫理作爲一德行倫理，[29] 奠基於「仁愛」原則，也就是消極上「己所不欲，勿施於人」、積極上「己欲立而立人，己欲達而達人」。同理，儒學的「家」倫理所提示的夫婦、父子、兄弟之道，也是在普遍的意義上彰顯人性人倫應有的對待之道，「家」倫理仍是影響中國文化的主流的、穩定的強大力量，不但不應棄守更應賦予其時代新義，以適應新的時代。由一男一女及其子女組成的核心家庭當然是家庭的基本形式，是最自然且符合人性的模式。子女與異性的互動及將來婚姻的模式會受父母婚姻的影響，父母美滿

---

29 參見潘小慧，〈德行倫理學及其現代意義：以儒家倫理爲核心展開〉，海峽兩岸道德建設及中西倫理比較研討會會議論文，北京人民大學，2000 年 12 月，頁 1-12。參見潘小慧，〈德行倫理學在中西：以儒家和多瑪斯哲學爲例〉，收於《第三個千禧年哲學的展望：基督宗教哲學與中華文化的交談會議論文集》（台北：輔仁大學出版社，2002 年 10 月），頁 269-289。

的婚姻是子女學習兩性關係、婚姻生活的對象，而且在用心經營婚姻生活中，會帶給子女有安全感的生活空間，有信心、有能力去發展自我及健全的人格。家能成就人，也能傷人，因此核心家庭的健全，包括法律的修訂、真正兩性平權的落實，以及以友誼（朋友倫）貫串人倫[30]應該是努力的方向。至於其他另類家庭型態，只能以各種專業給予輔導與協助，絕不是主流的核心家庭形式「邊緣化」了其他家庭型態。我們應切記的是：別忽略了自己生機勃勃的倫理精華，面對全球化，我們中國人要建構的是具有普世價值且具有儒家特色的倫理觀，而不是殖民地式的相對倫理或是無倫理或是反倫理。

參考書目

伍貽康，張海冰，〈全球化與一體化辨析（一）〉，《世界經濟研究》，2002 年 10 月 11 日。
　　http://www.in.ah.cn/qqh/02101195522.htm
黃平，〈全球化挑戰與文化認同危機〉。
　　http://www.huaxia.com/HaiXiaJuJiao/JiaoDian/ZhongHua
　　WenHuaYuLiangAnGuanXiLunTan/YanLunWenZhai/GBK

30　參見潘小慧，〈論友誼（愛）——以亞里斯多德及多瑪斯的思想為據〉，《哲學與文化月刊》第 23 卷第 1 期（260），1996 年 1 月，頁 1191-1200。亦可參見潘小慧，《德行與倫理——多瑪斯的德行倫理學》（台北：哲學與文化月刊雜誌社，2003 年 2 月），第五章〈多瑪斯論友誼之愛〉。

/32789.html

洪鎌德，〈全球化下的認同問題〉，《哲學與文化月刊》（台
　　北），第 29 卷第 8 期（339），2002 年 8 月，頁 689-695。

莊坤良，〈迎/拒全球化〉，《中外文學》（台北），第 30 卷第 4
　　期（352），2001 年 9 月。

楊偉中，〈世界反全球化鬥爭與台灣左翼青年運動〉一文。
　　http://linkage.ngo.org.tw/worldeconomic&glbalization/glo
　　balization&youth.htm

林牧、樊百華，〈全球化的誕生與內涵─中國需要融入全球化
　　（上）〉。
　　http://www.asiademo.org/gb/2000/09/20000923b.htm

戴路，〈關於文化全球化的幾點思考〉，《中國青年報》2001
　　年 12 月 6 日
　　http://www.ccyl.org.cn/zuzhi/lldt/2001/lldt20011228.htm

芮逸夫，〈中國儒家思想的現代化〉，收於《現代化與中國化
　　論集》，台北：桂冠，1985 年 3 月。

《禮記》。

《中庸》。

《大學》。

《尚書》。

《左傳》。

程超澤，《中國大陸人口增長的多重危機》，台北：時報，199
　　年 10 月。

楊遂全，《中國人口法律制度研究》，北京：法律出版社，1995
　　年 12 月。

沙吉才主編,《改革開放中的人口問題研究》,北京:北京大
　　學出版社,1994 年 9 月。

巴貝柯爾文＆圖,郭恩惠譯,《好事成雙》,台北:格林文化
　　事業股份有限公司,2000 年 7 月。

畢恆達主編,《家的意義》,收於《應用心理研究》第 8 期(台
　　北:五南,2000 年 12 月。

吳瑾嫣,〈女性遊民研究:家的另類意涵〉,收於《應用心理
　　研究》第 8 期《家的意義》,台北:五南,2000 年 12 月,
　　頁 83-119。

陳勝利,〈人口與發展是全球關注的焦點－開羅國際人口與
　　發展會議一般性辯論側記〉,載於《人口研究》,第 18
　　卷第 6 期(1994 年 11 月)。

潘小慧,《論生育倫理與國家政策—以中國大陸「一胎化」政
　　策爲例》(1998 年 9 月),輔仁大學中西文化研究中心專
　　題研究計劃成果報告,頁 1-62。

潘小慧,〈德行倫理學及其現代意義:以儒家倫理爲核心展
　　開〉,海峽兩岸道德建設及中西倫理比較硏討會會議論
　　文,北京人民大學,2000 年 12 月,頁 1-12。

潘小慧,〈德行倫理學在中西:以儒家和多瑪斯哲學爲例〉,
　　收於《第三個千禧年哲學的展望:基督宗教哲學與中華
　　文化的交談會議論文集》,台北:輔仁大學出版社,2002
　　年 10 月,頁 269-289。

潘小慧,〈論友誼(愛)——以亞里斯多德及多瑪斯的思想爲
　　據〉,《哲學與文化月刊》第 23 卷第 1 期(260),1996
　　年 1 月,頁 1191-1200。

潘小慧，《德行與倫理—多瑪斯的德行倫理學》，台北：哲學
　　與文化月刊雜誌社，2003 年 2 月。

九十二期《台加文化協會簡訊》。

　　http://www.tbsn.org/chinese/journal/tbn3/231/pd-03.htm

2002 年 8 月 2 日中央社即時新聞。

　　http://www.cosn.net/news/page/200285111449.html

第九章　基因聖戰與生命倫理

——閱讀《基因聖戰——擺脫遺傳的宿命》一書的省思[*]

- · 關於《基因聖戰》一書
- · 基因與基因研究
- · 基因研究的生命倫理問題
- · 從一個存在的體驗到對生命意義的再省思

---

[*] 本章內容原爲了《生命倫理專題》而作，載於《哲學與文化月刊》第 29 卷第 9 期（344），2003 年 1 月，頁 91-102。今收錄至本書時，作了部分更動，特此說明。

第一節　關於《基因聖戰》一書

作者：畢修普(Jerry Bishop)；瓦德霍茲(Michael Aldholz)
譯者：楊玉齡譯；周成功　審訂
書名：基因聖戰--擺脫遺傳的宿命
出版社：台北：天下文化
出版時間：1994 年 10 月初版；2002 年 4 月第二版 15 刷
原著出版資料：

Jerry E. Bishop, Michael Waldholz (Contributor); Genome: The Story of the Most Astonishing Scientific Adventure of Our Time--The Attempt to Map All the Genes in the Human Body, Simon & Schuster, 1990

> 為什麼有些兒童彷彿被下了詛咒似的，還不會學步，
> 肌肉就開始萎縮，苦撐到二十歲上下終告不治？為什
> 麼許多人飲食有節，卻仍然躲不過癌症致命的侵襲？
> 有些人每日運動，還是逃不過冠狀動脈心臟病要命的
> 追擊？又為什麼有人精神失常，子孫裡總有人會步上
> 後塵？酒鬼的子女一出生便給好人家領養，為什麼長
> 大後居然也嗜酒如命？
> 原來，答案就在基因裡！人體中的十萬個基因，牢牢
> 牽繫著每個人、每個家族的命與運。我們能擺脫這遺
> 傳的宿命嗎？我們能掌握自己的命運嗎？
> 一項雄心足以媲美曼哈頓原子計畫、阿波羅登月計畫

的「解讀人類基因地圖」大計畫已經展開，科學家正
發動一場追獵致病基因的聖戰，矢志搜尋出三千種遺
傳疾病的基因缺陷，並一一殲滅。這場戰役，關係著
你我以及下一代的未來，沒有人能置身事外！

　　　　　　　　——關於《基因聖戰—擺脫遺傳的宿命》

　　中文書名題爲《基因聖戰》，副標題題爲「擺脫遺傳的
宿命」一書（以下簡稱《基因聖戰》），是由天下文化書坊所
出版的科學人文系列叢書之一。從 1994 年 6 月初版、1996
年 1 月再版，以至於 2002 年 4 月 20 日第二版第 15 次印行，
1 除了暢銷外，多年來也引起各方重視與討論，也常在生命
教育課程裡被教授們列爲參考書籍或閱讀討論書籍。此書的
原著英文書名是 *Genome: The Story of the Most Astonishing
Scientific Adventure of Our Time --The Attempt to Map All the
Genes in the Human Body*，於 1990 年初版，1999 年再版。作
者之一畢修普（Jerry E. Bishop）爲華爾街日報(Wall Street
Journal)記者，資歷超過三十年，是該報醫學、科技議題的主
筆，曾多次獲新聞報導桂冠。近年最受矚目的是，於 1990
年初因報導低溫核聚變（cold fusion）研究引發的爭議，而
獲美國物理學會（American Institute of Physics）頒發之科學
報導獎。瓦德霍茲（Michael Waldholz）也是華爾街日報記者，
資歷超過十年，主跑醫學、公共衛生及製藥工業的路線。曾
因與畢修普聯手報導基因研究的現況，而獲得華爾街日報社

---

1 本文的依據即是 2002年4月20日第二版第 15 次印行的較新版本。

內之頭版系列報導獎。這項肯定，促使兩人再度攜手，撰成
本書。[2] 中文譯者爲楊玉齡，從事科學傳播多年，目前爲自
由撰稿人，專事科學書籍翻譯寫作。著作有《台灣蛇毒傳
奇》、《肝炎聖戰》（皆與羅時成合著），譯作有《雁鵝與勞倫
茲》、《基因聖戰》、《人類傳奇》……等至少十二本。[3]

　　關於《基因聖戰》這本書的章節架構，作者以「夢想」
取代序言，介紹一門仍在快速發展中的科學，即「分子遺傳
學」（molecular genetics），藉此來定位並辨識人體內的每個
基因。本文部分則分別以「從詛咒到聖戰」、「艾爾塔英雄
會」、「華塞斯特的尖兵」、「前進艾瑪部落」、「漫步染色體」、
「肌肉萎縮蛋白大發現」、「奇異的雙重打擊」、「癌症基因在
哪裡？」、「追蹤阿波變異」、「測繪人類基因地圖」、「血液裡
的祕密」、「酒瓶內的基因」、「預知生死紀事」、「擺進社會倫
理的光譜」、「抉擇時刻」等十五章的篇幅段落，透過廣泛而
深入的訪談，並穿插敘事和科學的解說，呈現美國的民間社
會和科學家如何通力合作去探尋致病基因的歷程。本書審訂
者周成功教授也說：「作者引領我們周遊於一些溫馨的人物
和故事中，去體會科學家既合作又競爭的運動員精神，以及
病患家屬焦慮、極欲得知病因的心情。」[4] 第二版最後，附
上作者「出版十年記--基因的年代來臨了」一文，預告基因
時代的來臨與基因研究的最新發展情況。原英文書名副題雖
爲「當代最驚人的科學探險--試圖定位人體中所有的基因」，

2　參見《基因聖戰》一書的〈作者簡介〉。
3　參見《基因聖戰》一書的〈譯者簡介〉。
4　參見《基因聖戰》一書的中文版〈序〉。

然而人類基因計畫在本書的份量並不多；且有關人類基因計畫中能源部與衛生研究院間的爭奪、科學界意見領袖間的衝突、技術的突破與未來挑戰，並未有深入的報導。[5]倒是中文譯本的〈附錄〉邀請了陽明大學陳嘉祥教授對書中所提到的其中三種遺傳疾病補充說明，以幫助讀者掌握這些疾病。譯者楊玉齡女士所作的〈譯後記〉也極為可貴，她不僅補充了書中對人類基因計畫描述的不足，同時更精要地把人類基因計畫所引發出的社會、倫理問題點出，引發讀者進一步思考。

第二節　基因與基因研究

一、基因的意義

1909 年，丹麥生物學家喬安森（Wihelm Johannsen ，1857~1927）根據希臘文「給予生命」之義，創造了基因（gene）這個名詞，來稱呼那些由染色體攜帶的、看不見的遺傳單位。自從 1906 年，美國生物學家摩根（Thomas Hunt Morgan ,1866~1945）[6]展開著名的果蠅染色體研究後，科學家才開始找尋基因，探究其奧秘和功能。不久就發現，生物

---

5 參見周成功，〈書評：《基因聖戰》〉，《科學月刊》300 期（1994年 12 月）。科學月刊全文資料庫。
　http://210.60.107.3/science/content/1994/00120300/0012.htm
6 1933 年諾貝爾生醫獎得主。

體內幾乎每一項生化特性都是由基因所控制；基因可以說就是生命的基礎。到了 1941 年，兩位美國科學家畢多（George W. Beadle, 1903~ 1989）及泰坦（Edward L. Tatum, 1903~ 1975）[7] 發現，基因的功能在於製造所有生命體的基本結構——蛋白質，例如負責催化生物體恆常存在、賴以維生的化學反應的酵素，就是一種蛋白質。1940 年代許多新發現顯示，基因是由細胞核內的某種酸性物質所構成的。由於這種核酸在去氧核糖中的蘊藏特別豐富，因此就被命名爲去氧核糖核酸（DNA ,deoxyribonucleic acid）。[8] 科學家估計，人類人體基因組（genome，每個人體細胞中都具有的遺傳物質）總共約有 5 萬到 10 萬的基因，分佈在 23 對 46 條染色體中，其中約有 5000 個基因會引起疾病。

二、基因研究的發展

自 1953 年英國物理學家克里克（Francis Crick,1916~ ）及其同僚，年輕的美國生物學家華森（James Watson,1928~ ）[9] 一同發現了 DNA 的雙螺旋物理結構之後，分子生物學於焉誕生。分子生物學家日益精進的研究與發現，讓我們明瞭基因的結構、遺傳密碼[10] 的表現等等。到 1970 年代出現了基因工程的技術；1980 年代，DNA 定序技術獲得長足的進展，

7　二人同獲 1958 年諾貝爾生醫獎。

8　參見《基因聖戰》，頁 13-14。

9　二人同獲 1962 年諾貝爾生醫獎。

10 1960 年代早期，遺傳密碼終於解開。參見《基因聖戰》，頁 15。

分子生物學家開始踏入遺傳疾病這個陌生的領域，他們開始研究 DNA 的變異，並從體細胞遺傳學進入分子遺傳學。1990年代，基因治療首開先例；由美國主導的「人類基因組計劃」（Human Genome Project）也於同年啓動，其目的在將約八萬個左右的基因位置定出來，並明白其構造和功能，如此便可以預防及找出遺傳疾病及癌症的缺陷基因。雖然這項工作是一項耗時費力的事，但是藉著不斷發明新的、更有效率的 DNA 定序技術，人類基因解讀計劃正在全世界的相關研究室中熱烈展開。1988 年 9 月，美國最負盛名的分子生物學家華森，接受美國衛生研究院敦請出任被喻爲基因聖戰的人類基因解讀計劃掌門人。[11] 基因計劃的影響層面愈來愈深，急迫性也愈來愈高，就在千頭萬緒中，繼續向前推進。隊伍中，除了主角科研人員外，還有另一群角色：倫理法律社會事務小組（ELSI），專門探討基因計劃對社會各層面所造成的衝擊，負責人爲魏斯樂（Milton Wexler）[12] 的二女兒南西（Nancy Wexier），她也是本書的主角人物之一。2000 年 6 月 26 日，美、日、英、法、德、中等六國的科學家公佈了人類基因組的工作草圖，即基因的定序測試工作，並設立了基因資料庫。雖然距離最終完全解讀人類基因也許還需要數十年的時間，但是這畢竟是一個劃時代的里程碑。

三、基因研究的目的

---

11 參見《基因聖戰》，頁 489。
12 美國的遺傳疾病基金會（Hereditary Disease Foundation）創辦人。

　　人類基因研究的最大野心，在於探索人體基因的所有奧秘。專家形容人類基因解讀計劃是「生物學上的阿波羅登月計劃」。1969 年 7 月 20 日，隨著阿波羅號太空船登抵月球，月亮的神秘性消失了。如果說，人類抵達月球是在空間的意義上拓展了活動的疆域，那麼，人類基因解讀計劃的完成則是在分子的層次上認識了自我。一旦人類明白所有的基因的構造和功能之後，對於大腸癌、乳癌、艾茲海默氏症（Alzheimer's disease）、多發性硬化症、糖尿病、精神分裂症、憂鬱症……等眾多困擾無數人們的遺傳疾病就可以找到致病基因，並可以讓那些具有致病基因的人在剛出生時就有預防措施，在孩童時期就被教導避開有害健康的環境，如避開高脂肪食物及酒精等。甚至進一步研發出基因治療方法，積極面對致病基因，如果其中的缺損基因可被具有此機能的基因所取代，就可事先預防，不必飽受該疾病之痛苦，促使人類更健康。

第三節　基因研究的生命倫理問題

　　《基因聖戰》一書牽涉到的倫理問題相當多，例如醫療科技愈進展，在「克服舊疾，奮戰新疾」的模式下，每次新疾病的發病期都更往後延一些。換言之，人類的平均壽命愈拉愈長。可以預見的是，未來將會創造出一個更高齡的社

會，嚴重挑戰社會經濟結構。[13] 至於一般大眾所關心的切身
問題則是：（一）個人是否有拒絕社會國家、雇主或保險公
司的要求，而不接受基因篩檢的「自主權」？（二）如果接
受基因篩檢，個人的 DNA 資料是否有不外洩（例如不落入
雇主或保險公司手中）的「隱私權」？（三）個人是否保有
「工作權」？也就是雇主是否有權利以員工的 DNA 成分不
符工作所需而辭退員工？（四）個人「醫療權」的保障？也
就是保險公司有沒有權利要求客戶在投保前先接受基因篩
檢？若篩檢結果證實客戶具有遺傳疾病或罹病傾向，保險公
司能否拒絕當事人投保，或拉抬保費？[14] 專家學者則有六大
疑慮，分別是：（一）基因釋出管制問題；（二）優生學與種
族歧視；（三）改變人類基因庫；（四）社會階級差距擴大；
（五）商業勢力進場；（六）專利權的陰影。[15] 本文僅針對
可能引發的生命倫理問題進行探討。以下分別從亨丁頓舞蹈
症、囊腫纖維變性二病症為例，以及未發病就先切除乳房之
現象、從生物低等人到完美嬰兒的討論四方面呈現相關的生
命倫理問題。最後，以個人存在的體驗再對生命意義重新省
思作為結語。

一、以亨丁頓舞蹈症為例

　　亨丁頓舞蹈症（Huntington's disease）是一種退化性的神

13　參見《基因聖戰》，頁 492。
14　參見《基因聖戰》，頁 494。
15　參見《基因聖戰》，頁 494-497。

經精神疾病，主要的病變在腦部，是一種顯性遺傳疾病。大
多在中年約三十到四十歲發病，隨著腦部持續退化，會造成
無法控制的運動，逐漸喪失智能，人格及精神異常等，病人
平均發病後十五年死亡。父母其中一人帶有此項缺陷基因，
每一個孩子就有百分之五十的遺傳機率。如果孩子沒有遺傳
到，孫子女也不會遺傳到，如果孩子有，孫子女就百分之五
十會有遺傳可能。魏斯樂有兩個女兒不知是否遺傳到前妻李
諾（Leonore）的亨丁頓舞蹈症基因，為了驅除心中永遠的幽
靈，他們一家人投入尋找此項致病基因的浩大解謎工作。
1983 年 11 月，分子遺傳學終於判定，問題出在第四對染色
體上。[16] 魏斯樂曾如此形容亨丁頓舞蹈症：「這是地球上最
可怕的疾病，因為患者在心智上注定會像艾茲海默氏症患者
般，最後完全癡呆；生理上則會日漸失控，猶如肌肉萎縮症
患者；而身體狀況更會衰弱得有如癌症末期。」[17]

　　知道家有遺傳疾病以後，生命猶如一盤暗棋，是黑子或
白子，要到未知的 N 年之後，老天才會掀開底牌，掀牌之前，
只能在黑與白的混色系中，灰灰的過日子。[18] 那是一種怎樣
的心情？《基因聖戰》所提及的一位美國女性凱倫，直到二
十八歲，都不知道自己是否遺傳到已逝母親的舞蹈症，她在
接受《約翰霍普金斯》雜誌（John Hopkins Magazine）的採
訪時，形容多年來的不確定，帶給她的心理創傷：「那是一

---

16 參見《基因聖戰》，頁 139。
17 參見《基因聖戰》，頁 25。
18 參見鄭慧卿，《絕地花園》〈在黑暗中漫舞--亨丁頓舞蹈症的幻
　　影人生〉（台北：天下文化，2001 年 8 月 25 日出版）。

種坐以待斃的感覺，它從你的內在緩緩殺死你」。[19] 這樣的心情，有些人過了十幾二十年，[20] 甚至更久。當凱倫獲知沒有得到舞蹈症基因的好消息時說：「未來充滿希望……我將可看到自己的子女了。」[21]

提到生育，有關生命倫理的兩難問題就來了。《基因聖戰》裡有個例子：有對夫婦得知自己就要升格當爸媽了，這是他們的頭胎，他們很開心但是喜悅中也滲雜了比一般準父母更深的焦慮之情。那顆小胚胎很可能正蘊藏著一個「默默無言」的缺陷基因，直到四十或五十年後，這基因才突然引爆出一個悲慘可怕的疾病。因為這名妻子的母親患有亨丁頓舞蹈症，所以這妻子也可能傳到了這個基因。這名妻子並不想接受檢驗。但是，一項非常簡單的產前檢查就能在胎兒十週前，告訴這對夫婦，他們的孩子是否也和準媽媽一樣具有百分之五十的亨丁頓舞蹈症風險。他們應該接受這項檢驗嗎？還有，如果檢驗後胎兒也有百分之五十的風險罹患此症，他們會墮胎嗎？[22] 上述的試驗正是遺傳學家所謂的「不穿透消去試驗」（nondisclosing exclusion test）。威爾斯大學（University of Wales）醫學院早期曾做過一項研究，醫生針對五十五對夫婦進行「不穿透消去試驗」調查。結果令人驚訝：五十一對夫婦表示，如果胎兒有百分之五十的罹病風

19　參見《基因聖戰》，頁 406。
20　同註 18，如〈在黑暗中漫舞—亨丁頓舞蹈症的幻影人生〉一文中的主角梨花。
21　參見《基因聖戰》，頁 408。
22　參見《基因聖戰》，頁 411-412。

險，他們就會考慮墮胎。[23] 問題在於：「將一個生命晚期才會發病的胎兒拿掉究竟合不合道德？」遺傳學家都難有共識。有人說，搞不好等這些孩子長大時這種病可能已經可以治癒，或至少可以減輕症狀；另一方則辯稱，無論如何，只要是因罹病風險而墮胎都是合法的，即使風險再小都一樣。有人說：「我們只要藉由產前檢查，不讓可能有缺陷的胎兒出生，一、二代內，就可以把這個缺陷基因給剷除掉了。」[24] 雖然這在醫學科技上的實然面的確可能，但是誰有權利作這種決定？胎兒的父母嗎？醫生嗎？難道遺傳學家在能力上有辦法消除一種疾病，就「應該」為消除一種疾病而選擇犧牲胎兒的生命嗎？生命的意義何在，以及墮胎問題的根源性探討就成了最本質的爭議了。

二、以囊腫纖維變性為例

　　囊腫纖維變性（cystic fibrosis，以下簡稱 CF 症）是白種人特有的一種隱性遺傳疾病，東方人少有此病。此病在白種人的發生率大約是二千分之一到三千分之一，大約每二十五人中有一人帶有此一疾病基因，[25] 而患者很少能活到成年。CF 症在逮到家族中第一個受害者之前，都是悄無聲息，完全不露任何警訊的。一對外表健康的夫婦要等到某個子女罹患這種病後，才會知道他們具有缺陷基因這件事實。醫生估

23　參見《基因聖戰》，頁 412。
24　參見《基因聖戰》，頁 414。
25　參見《基因聖戰》，頁 487。

計，每廿個白種美國人中，就有一人在不自知的情況下，帶有此症的突變基因，使它成為最尋常的遺傳缺陷。像威爾森夫婦（Barbara and John Wilson），兩名帶原者結合並懷孕後，他們就彷彿突然被推進遺傳賭局中，由一顆生物骰子來決定：他們的孩子會不會倒楣到從父母各傳得一個突變基因？每名子女得到兩個缺陷基因的機率都是四分之一。威爾森夫婦在毫不知情下擲了兩次骰子，而且兩次都成了輸家。之後幾年，借助產前檢查威爾森夫婦分別於 1986 年和 1989 年又生了兩個健康的孩子。他們表示：「我們愛所有四個小孩」，「但是絕不會在已知情的狀況下，再生一名 CF 症的小孩。」26 於是，對於 CF 症的產前檢查就激起一連串的爭辯，將 CF 症這類雖然殘障、但可能活得長久的胎兒拿掉究竟適不適宜？因為產前檢查只能測出胎兒是否帶有缺陷基因，卻測不出該基因所造成的病情是輕是重。有些病童（如威爾森夫婦的孩子）就能活好多年，而有些病童可能早夭。紐約有名專治此症的醫生史谷利（Brian Scully）於 1986 年接受訪問時，埋怨那些將罹病胎兒拿掉的夫婦，「沒讓孩子得到應有的機會」。他指出，拜新抗生素和積極監護之賜，他的病人活得愈來愈久。史谷利認為那些會將罹病胎兒拿掉的父母不應該再嘗試懷孕。27 有墮胎禁忌者，確實阻礙了某些家庭進行產前檢查，有人就聲明「決不參與任何最終導致墮胎的研究」。

26　參見《基因聖戰》，頁 416-420。1985 年威爾森太太曾於懷孕 16 週時因檢驗結果模稜兩可，難以判斷，而終止懷孕。

27　參見《基因聖戰》，頁 422。

[28] 這使我們思考與質疑：有早夭可能的生命是否不再有生存的意義？生病的生命是否就不再有完整的生命意義？

三、未發病就先切除乳房？

乳癌基因追獵計劃中，有個家族的二個姊妹都因罹患乳癌而去世，她們的母親和阿姨雖然還健在，但是先前也都曾罹患癌症。1992 年，該家族倖存的姊妹之一珍妮證實不幸罹患乳癌，而她那三十出頭、已婚、育有兩名子女的小妹蘇珊，則認定自己一定也會罹患乳癌。因為，金恩（Mary-Claire King）[29] 的發現已經讓許多腫瘤學家相信對於某些家族，一個基因缺陷的確會發生作用。因此蘇珊的醫生很不尋常地建議她為了預防乳癌，她應該考慮進行乳房摘除手術，以搶先移除病灶的方式，制止這項看似無法避免的家庭宿命。事實上，隨著數百個疑似癌症遺傳家族被基因獵人一一發現後，已有愈來愈多婦女主動切除乳房。就拿蘇珊和珍妮家來說，她們的五妹因為太害怕這項宿命，還沒發病就已經切除乳房了。[30] 讓筆者訝異的不是後來「癌症醫生可以藉由新興的基因科技，一探科學水晶球之謎，然後做出超越人類知識領域的預測性診斷」，[31] 而是在美國竟然有愈來愈多的婦女施以未發病就主動先切除乳房的預防性手術！甚至這竟然是出於醫生的建議。這樣的個案聽起來像是台灣婦產科過度濫用

---

28 參見《基因聖戰》，頁 423。
29 當時 1991 年加州大學柏克萊分校的研究員。
30 參見《基因聖戰》，頁 505-506。

割除子宮手術或是外科醫生動不動就建議病人進行外科手術一樣，令人不禁懷疑這樣的醫療建議與手術是否必要？是否過當？是否違反除非必要應對病人身體完整性的維護（外科手術也有麻醉及增加感染的風險）？

四、從生物低等人到完美嬰兒

　　溫柏格是懷海德研究所（Whitehead Institute）[32] 研究員，專攻致癌基因。他被公認爲感覺敏銳的科學家，而且也是最早憂心「基因鑑定科學深遠影響」的分子遺傳醫師之一，他大聲疾呼：基因鑑定科學對於社會將產生「腐蝕性」的衝擊。其實在 1989 年下半年，有些社會道德學者已開始討論他們的隱憂：鑑定基因技術未來會不會創造出一種新的社會階級，即所謂「生物低等人」（biological underclass）？被鑑定出帶有遺傳弱點的人，可能會受到雇主的歧視，也可能在投保醫療險或壽險時，困難重重。例如，一般商業機構自然比較不願意雇用容易生病的人，因爲那會提高企業主所需負擔的健保費用。所以企業主在雇用員工前，可能想先檢查他們的遺傳體質。於是就有所謂「遺傳歧視」、「遺傳原因不錄用」，以及「遺傳標籤」等。[33] 如果歷史上種族歧視、性別歧視不對，那我們也沒有任何正當理由可以有遺傳歧視。

---

31 參見《基因聖戰》，頁 507。
32 位於美國麻省理工學院的一所著名的分子生物研究機構。
33 參見《基因聖戰》，頁 10-11。

　　由生物低等人我們可以再設想每對父母都希望自己的子女不但無缺陷基因，甚至更美更好，因此如果可能，爲什麼要限制只能選取健康的特質呢？尤其在晚婚晚育、少生少育的現代，父母普遍希望子女有多才多藝、天賦異稟、身材高挑……種種我們直覺認爲會使孩子有更美好未來的特質。未來，當我們考慮要有怎樣的孩子時，我們無疑會有更多的基因選擇，但我們是否以爲父母應有選擇自己孩子特徵的權利嗎？一如讓人們自行決定要買哪一款新車一般？畢竟孩子不是物質物，也不是父母的私產，每一個孩子都是獨立的位格人（human person），打造一個「完美嬰兒」的想法，實在是現代人優生觀念迷思的極端。運用科技過了頭，就只是操弄科技作爲工具，忘卻了生命原初之意即是自然生命，人類實無須扮演造物主上帝。我們還需思索生育的目的究竟爲何？是爲了父母的善或利嗎？還是孩子本身的善或利？還是其他？如愛與生命的結合。

第四節　從一個存在的體驗到對生命意義的再省思

　　1996 年 1 月下旬的一個寒冬午夜，比預產期提早了十九天，全家緊張又興奮地迎接第三個孩子的出世。和二個姊姊一樣，都是自然產，但這意外的一胎是個男孩。夫妻皆認爲孩子是天主的恩賜！雖然孩子有點黃疸，但不嚴重，因此按

照往例，第四天母子都獲准出院返家。大約一星期左右，接到醫院書面通知，懷疑孩子罹患新生兒篩檢[34]項目中的蠶豆症，[35]要全家五口到台大醫院複檢確認。由於蠶豆症是一種X染色體隱性遺傳病，也就是X染色體帶有缺陷基因使然，故男性患者多於女性患者，其中又以客家人發生率較高。[36]合理的懷疑當然指向有四分之一客家血統的男嬰母親。母親可能是顯性蠶豆症(二個X都帶有缺陷基因)，也可能是隱性蠶豆症(一個X正常，一個X帶有缺陷基因)。在此情況下，即使父親的X染色體是正常的話，那麼兩個女兒也有可能遺傳了母親的缺陷基因。從抽血檢查、等待、查詢、蒐集相關資料到收到書面複檢報告，夫妻倆以及相關長輩都戰戰兢兢地渡過這段難熬的日子。答案揭曉：父親及兩個女兒都正

---

34 「新生兒篩檢」是「新生兒先天代謝異常疾病篩檢」的簡稱。篩檢的目的是在嬰兒出生後，早期發現患有先天代謝異常疾病的孩子，立即給予治療，使患病的孩子能正常發育，而不致造成終生不治的身、心障礙。

35 正式名稱是「G-6-PD缺乏症」或「葡萄糖-6-磷酸鹽去氫缺乏症」，俗稱「蠶豆症」，於七十七年度開始列為新生兒先天代謝異常疾病篩檢之常規項目。台灣地區的發生率非常高，每一百個新生兒當中，就有三個病例。男性又較女性為多。這種病症是因為紅血球中缺少「葡萄糖-6-磷酸鹽去氫脢」，在新生兒期會造成黃疸，嚴重的會腦性痲痺，進而使新生兒死亡。G-6-PD缺乏症可說是無藥可治，必須預防勝於治療，患者不能接觸樟腦丸(俗稱臭丸)、龍膽紫(俗稱紫藥水)；不能吃蠶豆及某些藥物。患者一旦接觸或服食上述物品，會引起溶血性貧血，造成危險的併發症。

36 世界各地都有G6PD缺乏症患者，尤其是地中海沿岸、非洲及東南亞地區，台灣的發生率約為3%，個案住所分佈全省、外島及金門等地區。

常，母親是隱性蠶豆症患者，男嬰則確定是蠶豆症患者。母親打電話詢問複檢報告的確切意涵時，護理人員在電話的那頭安慰母親說：「還好，指數不是很低，應該不是嚴重的那一型。」

這是發生在筆者家的真實故事。男孩現在已是小學三年級的學生，聰明活潑，在我們的注意照料下，從未發病。而筆者正是那位有四分之一客家血統（另外八分之三壯族、八分之一河南、四分之一閩南血統）的母親。在台灣，這樣的家庭不在少數，蠶豆症的發生率是百分之三。雖然相對而言，蠶豆症的可怕程度遠不及上述亨丁頓舞蹈症等疾病，但筆者以為：這就是一種本土版的基因課題。

面對缺陷基因的事實，科技能做到什麼？科技該如何？人類該如何？科技的限制只是指出人類能力的限度，我們的責任正是去決定與抉擇如何運用科技的成果。以小兒的蠶豆症為例，如果追求下一代的健康是人合情理且應追求的善的話，明智的做法是：兒子將來的嫁娶對象絕對要避開顯性蠶豆症患者，最好也避免隱性蠶豆症患者。最佳選擇是無蠶豆症者，而且孫輩皆是男孩，那麼到了曾孫輩就能斷絕此缺陷基因；如果孫輩是女孩的話，則尚有二分之一的機率會帶有此缺陷基因。我們能努力的是幫助孩子認識自己的遺傳疾病以及與孩子保持各方面密切的溝通，以及強調婚前健康檢查的重要。至於未來會如何，誰也不能預估與保證。

威爾森夫婦愛他們的四個小孩，不論健康與否；我們也愛我們的三個小孩，不論性別、不論是否帶有缺陷基因；我們也常看到許多父母好愛他們的智障或體障小孩。筆者以為：所有已經存在的人的自然生命，不論有多大或多小的缺陷，都必須小心維護與尊重，基因科技必須在不違反自然的

條件下始得以對人的生命進行治療或改造（例如若其中的缺損基因可被具有此機能的基因所取代）。生命絕不只是一堆用密碼寫好的程式的展開而已，如此一來，人與禽獸就真的就只是 A、C、G、T 排列不同的差距罷了。如果生命只是在物質層面上「創造」宇宙繼起之生命，那不過是利用 DNA 鑄模「製造」更多 DNA 的過程而已。[37]《聖經‧傳道書》第 3 章 11 節說：「上帝造萬物，各按其時成爲美好。又將永生安置在世人心裡。然而上帝從始至終的作爲，人不能參透。」人類基因研究的目的在於探索人體基因的所有奧秘，即使可能，也只是在分子的層次上認識了人類自我，上帝創造萬物、創造人類的奧秘仍不得而知。人類自由意志所要面臨的倫理議題與倫理抉擇更嚴峻地考驗著人類智慧，人類也必須透過一次次的科技登月計劃重新審思生命的起源以及生命的意義。

參考書目

畢修普(Jerry Bishop)、瓦德霍茲(Michael Aldholz)著，楊玉齡譯，《基因聖戰——擺脫遺傳的宿命》，台北：天下文化，1994 年 10 月初版，2002 年 4 月第二版 15 刷。

周成功，〈書評：《基因聖戰》〉，《科學月刊》300 期（1994 年 12 月）。科學月刊全文資料庫。

http://210.60.107.3/science/content/1994/00120300/0012.htm

---

37 趙大衛，〈生命密碼〉，收於《科學探秘》。
www.life.fhl.net/Science/index2.htm

鄭慧卿,《絕地花園》〈在黑暗中漫舞——亨丁頓舞蹈症的幻影人生〉,台北:天下文化,2001 年 8 月。

趙大衛,〈生命密碼〉,收於《科學探秘》。

www.life.fhl.net/Science/index2.htm